問いからはじめる教育学［改訂版］

EDUCATION BEGINNING WITH QUESTIONS

著・勝野正章
　庄井良信

有斐閣ストゥディア

はしがき

　大学で教育学を専門にしている私は，ときどき，高校生や大学生に「教育に関心があるのですが，教育学ってどんな学問でしょうか。自分に向いているでしょうか」と尋ねられることがあります。そんなとき，私はこんなふうに答えることが多いようです。

　「私にもはっきりはわかりませんが，教育学は人が成長・発達し，変化していく過程やその意味を個人に即して詳（つまび）らかにしようとすることもあれば，その子の育ちを遊び仲間やクラスメートなどの集団のなかに位置づけてみたり，さらに視野を広げて経済や政治との関係で考えてみることもできる，とてもエキサイティングな学問だと思います。そもそも，あなたや私が昨日とは少し違うあなたや私になっているのだということを改めて考えてみるだけでも，何だかわくわくしてきませんか。そうそう，あなたに向いているかどうかでしたね。私は教育学を30年くらい専門に学んでいますが，ほんとうに知りたいと思う根本的な問題について，これが答えに違いないと確信できたことがありません。いまもわからないこと，疑問に思うことばかりです。ひょっとしたら私の勉強が足りないせいなのかもしれませんが，教育学にはそういうところがあるのではないかと思っています。だから，もしあなたが答えを性急に求めようとするタイプではなく，問うこと自体を楽しめるようだったら，きっと教育学が好きになると思いますよ」

　さて，いまこの「はしがき」を書きながら，本書が読者のみなさんに問うことを楽しんでもらえるような教育学の入門書になっただろうかと不安と期待の気持ちがないまぜになっています。私たち2人の筆者は，本書で「問い」を投げかけ，時には私たちはどう考えるかを伝え，読者であるあなた自身の「問い」をかきたて，必要な知識を共有しながら考えることを楽しんでもらえるよう努めてきました。1人でじっくり考えるのでも，まわりの人と一緒にわいわいがやがやと意見を語り合うのでも，あなたのいまの生活や好みと響き合うものがあれば楽しみ方＝本書の学び方はさまざまであってよいのです。本書がきっかけとなって，もっと教育について考えてみたくなったとか，教育学という

学問が自分にあっているように思えたという感想をあなたにもっていただけることが，私たちの希望です。

　最後に，本書は有斐閣編集部の中村さやかさんと3人で文字どおり力を合わせてつくった本であることを記しておきたいと思います。ここに心からの感謝の意を表します。

　2015 年 1 月

著者を代表して　勝野　正章

改訂にあたって

　7 年前，私たち著者は，読書のみなさんに問うことを楽しんでもらえるような教育学の入門書をつくりたいという思いを込めて本書を執筆しました。今回の改訂でも，新しい学習指導要領をはじめ，これだけは取り上げておかなくてはという近年の動向や変化を選んでアップデートを図りましたが，当初の願い（基本コンセプト）は変わっていません。この間，教育に関する自分の疑問が教育学ではどんなふうに取り上げられているかを知りたくて本書を手にしたとか，本書が自分なりの問いをもつきっかけになったという声を聞くことがありました。著者として，これほどうれしいことはありませんでした。引き続き本書の読者のみなさんに「教育学ってなんだか楽しい」「もっと深く教育学を学んでみたい」という感想をもってもらえるよう願ってやみません。

　本書が，2 人の著者と有斐閣編集部の中村さやかさんの共同作業によるものであることも企画・執筆段階からずっと変わりません。今回の改訂でも，中村さんにたいへんお世話になりました。ここに記して感謝申し上げます。

　2022 年 10 月

著者を代表して　勝野　正章

著者紹介

勝野 正章（かつの まさあき）　　　担当　第 2, 5, 6, 7, 8, 12 章，13 章（共同執筆）

東京大学大学院教育学研究科教授

主　著

『教育行政と学校経営』改訂新版（共著）放送大学教育振興会，2024 年。
『教育の法制度と経営』（編著）学文社，2020 年。
『教員評価の理念と政策――日本とイギリス』エイデル研究所，2003 年。

庄井 良信（しょうい よしのぶ）　　　担当　第 1, 3, 4, 9, 10, 11 章，13 章（共同執筆）

藤女子大学人間生活学部／大学院人間生活学研究科教授

主　著

『生徒指導』（未来の教育を創る教職教養指針 10）（編著）学文社，2023 年。
『いのちのケアと育み――臨床教育学のまなざし』かもがわ出版，2014 年。
『ヴィゴツキーの情動理論の教育学的展開に関する研究』風間書房，2013 年。

【Column 執筆者】

宮田 裕二　医療法人財団東京勤労者医療会代々木病院看護師（元勤医会東葛看護専門学校
　　　　　　第 21 期自治会長）　　　　　　　　　　　　　　　　　（担当　Column ❽）
宮原 順寛　北海道教育大学大学院学校臨床心理専攻准教授　　　　　（担当　Column ⓱）
渡辺菜津子　渋谷本町学園主幹教諭　　　　　　　　　　　　　　　　（担当　Column ⓫）

目　次

はしがき ─────────────────────────── i

第1部　あなたの「教育観」をみつめてみよう
── 学びはじめる前に

CHAPTER 1　よい教育ってどんな教育？　2

1　あなたの教育の〈原風景〉は？ ………………………………… 3
2　「教育」の〈原義〉 ……………………………………………… 4
　　〈教〉と〈育〉の紐帯（4）　ケアと発達援助の営み（6）
3　人間に必要な「教育」とは？ …………………………………… 7
　　人間の〈可塑性〉と〈可能性〉（7）　〈弱さ〉を慈しむケア（8）　育みと教えをつなぐもの（9）　社会と文化への参入・参加（10）
4　価値探究のポリティクス ………………………………………… 13

> WORK ①　あなたの教育の原風景（イメージ）を探ってみよう　3
> WORK ②　教育の目的　12

CHAPTER 2　教育を社会の視点から考えてみよう　16

1　教育の意義と目的 ……………………………………………… 17
　　教育の社会的機能（17）　個性・能力の伸長（18）
2　教育の社会的・国家的背景 …………………………………… 19
　　教育に対する社会的・国家的要求（19）　ポスト産業社会の教

　　　　　育（20）
　3　競争とアカウンタビリティ ……………………………………… 21
　　　　　アカウンタビリティ（21）　競争の限界（23）
　4　教育と不平等　　　　　　　　　　　　　　　　　　　　　　23
　　　　　教育の商品化と新自由主義（23）　家庭の経済力と学力（24）
　　　　　教育を通じた格差拡大（25）

　　WORK ③　社会はどんな知識・技術・能力を求めているのか？　21

 第2部　先人の知恵から学ぼう
　　　　　　　──試行錯誤の歴史

 CHAPTER 3　子どもという存在／人間という存在　　　　　28

　1　子どもと出会い直すとき ………………………………………… 29
　　　　　儚さと輝き（29）　善と悪（31）　子どもの発見（ルソー）
　　　　　（32）　人間（humane）へのまなざし（35）
　2　人間が「育つ」ということ ……………………………………… 36
　　　　　他者・文化・自己のストーリー（36）　タイダル・ウェーブ理
　　　　　論（38）　発達の最近接領域（39）　非認知能力の育ち（42）

　　WORK ④　子ども時代の生活世界から考えてみよう　30
　　WORK ⑤　子どもの本性は善か悪か？　32
　　WORK ⑥　「育ち」のイメージを描いてみよう　38

 CHAPTER 4　教え方は試行錯誤されてきた　　　　　　　　44
　　　　　　　　　　　　　　　　　　　　教育方法の歴史

　1　「教え方」の原点を探る ………………………………………… 45
　　　　　視点のコペルニクス的転換（45）　ともに働き・ともに食べる
　　　　　（46）　物語共同体（47）

2 「教え方」を探究した人びと ……………………………………… 49

問答法（49） タブラ・ラーサ（49） リベラル・アーツ（50） 〈合文化〉の原則（Ⅰ）──コメニウスの試み（51） 〈合文化〉の原則（Ⅱ）──ヘルバルトの試み（52） 〈合自然〉の原則（Ⅰ）──ルソーの試み（53） 〈合自然〉の原則（Ⅱ）──「新教育運動」の試み（54） 生活（ライフ）と教育の結合（56）

> WORK ⑦　教え方のうまい教師のイメージとは？　46
> WORK ⑧　子どもの教育可能性をどうとらえればよいのか？　50

CHAPTER 5　教育を受ける権利　59

1 義務教育の転換と教育を受ける権利 ……………………………… 60
教育勅語から教育基本法へ（60）　教育を受ける権利（61）　戦後教育改革（63）

2 教育の機会均等 ……………………………………………………… 64
教育の機会均等（64）　教育の無償制（65）　障がいのある子どもの教育を受ける権利（67）

3 子どもの権利 ………………………………………………………… 69
子どもの権利条約（69）　日本の教育の課題（72）

> WORK ⑨　教育の無償範囲はどこまで？　67

CHAPTER 6　子どもの学びを支える仕組み　74

1 公教育と私立学校 …………………………………………………… 75
公教育の定義（75）　私立学校（77）

2 文部科学省と教育委員会 …………………………………………… 78
中央と地方の教育行政（79）　1990年代以降の教育委員会制度改革（81）

3 学習指導要領と教科書検定 ………………………………………… 82

学習指導要領（82） 教科書検定制度（83）

4 学校の組織と運営 ……………………………………………… 85
　　教職員の同僚性（85）　学校の運営（86）　働き方改革（87）
　　保護者・地域住民との協働（88）

第3部　よりよい教育について考えよう
――あなたなりの答えにたどり着くために

CHAPTER 7　子どものための学校ってどんな学校？　94

1 学校は何のためにつくられたの？ ……………………………… 95
　　治安維持と労働力の確保（95）　人材の社会的配分装置（96）
　　学歴という新しい文明病（98）

2 「子どものための学校」を求めて ……………………………… 99
　　デューイの進歩主義教育（99）　池袋児童の村小学校（100）
　　オープン・スクール（101）　フリースペース，フリースクール（103）　「子どもの居場所」から「子どものための学校」へ（104）

3 「子どもとともにつくる学校」へ ……………………………… 106
　　――生徒が主人公となる学校づくり

　　WORK⑩　あなたが考える理想の学校とは？　106

CHAPTER 8　学校では何を学ぶの？　110

1 学校で学ぶことはどう決められているの？ …………………… 111
　　教育課程と学習指導要領（111）　詰め込みの反省からゆとり教育へ（112）　脱ゆとり教育（113）　社会的課題への対応（114）

2 ジェンダーの視点からカリキュラムをみてみよう …………… 116
　　顕在的カリキュラムと潜在的カリキュラム（116）　ジェンダ

目次　vii

　　　　一化されたカリキュラム（117）　ジェンダーを学ぶカリキュラム（118）

　3　道徳や特別活動は何のためにあるの？ ································ 119
　　　　道徳性の発達（120）　公民的資質の育成（121）　シティズンシップ教育（122）

> WORK ⑪　学習指導要領を読んでみよう　　114
> WORK ⑫　潜在的カリキュラムにはどんなものがあるのか？　　117
> WORK ⑬　あなたにとっての未来（理想）のカリキュラムとは？　　123

CHAPTER 9　よい先生ってどんな先生？　　125

　1　あなたが抱いている教師像は？ ··· 126
　2　日本の教員養成制度の歩み ·· 127
　　　　師範学校から戦後の教員養成へ（127）　教員の資質能力の明示化（128）　高度専門職業人養成システムの構想（129）　学び続ける教師像とチームとして協働する教師像（130）
　3　総合的な発達援助職としての教師 ······································ 131
　　　　国際的な専門性基準（131）　困難性と専門性（132）　教師に求められる学びの環境（133）

> WORK ⑭　教師像をとらえ直す　　126
> WORK ⑮　教師の自己形成・育ちについて考える　　131

CHAPTER 10　どんなふうに子どもに接したらよいのか？　　138

　1　教育的関係性とは？ ··· 139
　　　　信頼（ラポール）の相互探索（139）　子どもの〈声〉を聴く（140）
　2　子ども理解の枠組み ··· 142
　　　　心の深層にふれるとき（142）　発達特性に気づくとき（143）　尊厳ある他者の人生にふれるとき（145）

3 生徒指導と豊かなかかわり合いの育み …………………… 146

ガイダンス理論から集団づくりへ（146） 多元的な能力主義（147） いじめ・不登校の急増（148） オルタナティブな潮流（149） 自己指導能力の形成（150）

> **WORK ⑯** 他者への応答の特徴をみつけ合ってみよう　140

CHAPTER 11　子どもがよく学ぶためには？　153

1 子ども理解とカリキュラム …………………………………… 154

正答主義の授業？（154） 学力——そのケアと育み（155） 人生に寄り添うカリキュラム（155）

2 「学び」のデザイン再考 ………………………………………… 157

0＋0＝0？（157） 授業構想のカンファレンス（158） 学習指導案を構想する（159）

3 授業の妙技（アート）を高めるために ……………………… 161

私，0（ゼロ）に会いたい（161） インクルーシブな学び合いをつくる（162） 授業のリフレクション（164）

4 社会参加とイマジネーション ………………………………… 165

拡張による学びと物語を紡ぐ学び（165） 〈アトリエ〉の創造的想像力（166）

> **WORK ⑰** 指導案をデザインしてみよう　158

CHAPTER 12　学校を卒業したら学ばなくてもよいのか？　170

1 生涯学習ってなんだろう？ …………………………………… 171

「一人前」になるための学習（171） 「生涯学習」の登場（172） 硬直化した学校教育への批判（172） 社会の変化と「生きがい」（173）

2 社会教育の歴史と課題 ………………………………………… 174

国民教化への反省（174） 自主的な学習・文化活動としての

　　　　再出発（175）　社会教育の意義（176）

　3　学びの再考 …………………………………………………… 177
　　　　成人の学習（177）　経験学習の理論（178）　ペダゴジーのとらえ直し（179）

> WORK ⑱　多様な生涯学習　　174
> WORK ⑲　社会教育はほんとうに要らない？　　177
> WORK ⑳　理想の学習とは？　　180

CHAPTER 13　教育と学校の未来はどうなるの？　　181

　1　希望はほんとうにないのでしょうか？ ………………………… 182
　　　──教育や学校をどう変えていけばよいのか？
　2　未来に向けた教育のデザイン ………………………………… 186
　　　──探索の旅路へ

事項索引 ──────────────────────── 191
人名索引 ──────────────────────── 199

Column ● コラム一覧

① 教育におけるウェルビーイングの探究 …………………………………… 11
② 教育学が「応答」すべきものは何か？ …………………………………… 13
③ 日本の子どもたちの学習への姿勢 ………………………………………… 22
④ 教育学の「古典」を学ぶということ ……………………………………… 33
⑤ 保幼小接続期のカリキュラム開発 ………………………………………… 41
⑥ クルプスカヤの総合技術教育 ……………………………………………… 57
⑦ 日本は，人種・民族による教育差別とは無縁なのか？ ………………… 68
⑧ 給付型奨学金制度の創設を求めて行動を起こした学生たち …………… 70
⑨ 田中耕太郎の「教育権の独立」論 ………………………………………… 80
⑩ 国は教育内容をどこまで決定できるのか？ ……………………………… 83
⑪ 学校現場からみた働き方改革 ……………………………………………… 89
⑫ モニトリアル・システム …………………………………………………… 96
⑬ サマーヒル・スクールと「きのくに子どもの村学園」………………… 105
⑭ いじめのない学校 ………………………………………………………… 108
⑮ キャリア教育 ……………………………………………………………… 115
⑯ 「いじめ」問題にどう向き合うか？ …………………………………… 144
⑰ 一人一台端末時代のICT教育 …………………………………………… 168
⑱ 情報通信技術の発展と学びのネットワーク …………………………… 173

本文中イラスト：オカダケイコ

インフォメーション

- **本書の構成**　本書は 3 部 13 章で構成されています。第 1 部では，学びはじめる前に，読者の「教育観」を，個人と社会の 2 側面からとらえ直します。第 2 部では，現代の教育の基礎となっている理念，理論，制度について，歴史をふまえながら学びます。第 3 部では，「実際にあなたが教え・育む立場（教師）になったとしたら」という視点から，現代の教育現場をイメージしながら学んでいきます。
- **ツール**　各章には読者の学びをサポートするさまざまなツールが収録されています。
    - ＊章冒頭に，各章へと誘う導入文として INTRODUCTION を設けています。
    - ＊本文中の重要な語句および基本的な用語を，本文中では太い青字（ゴシック体）にし，章の冒頭に KEYWORDS 一覧にしてまとめて示しています。
    - ＊本文中には，読者に問いかけ，読者の問いを引き出す QUESTION や，「考えてみよう」「やってみよう」と投げかける WORK を設けています。また，本文の内容に関連したテーマを，読み切り形式で Column として適宜解説しています。
    - ＊本文中で右上に★印をつけている文や用語については，より理解を深めるための補足情報を，note として該当頁の下部で解説しています。
    - ＊章末には，各章の要点をまとめた SUMMARY や，読書案内として Bookguide が用意されています。
- **索　引**　巻末に事項索引・人名索引を精選して用意しました。より効果的な学習に役立ててください。
- **ウェブサポートページ**　本書を利用した学習をサポートする資料を提供していきます。
    http://www.yuhikaku.co.jp/static/studia_ws/index.html

本書のコピー，スキャン，デジタル化等の無断複製は著作権法上での例外を除き禁じられています。本書を代行業者等の第三者に依頼してスキャンやデジタル化することは，たとえ個人や家庭内での利用でも著作権法違反です。

第 **1** 部

あなたの「教育観」を
みつめてみよう

学びはじめる前に

PART **1**

CHAPTER **1** よい教育ってどんな教育？
2 教育を社会の視点から考えてみよう
3
4
5
6
7
8
9
10
11
12
13

CHAPTER

第 1 章

よい教育ってどんな教育？

INTRODUCTION

　教育は，人間が，他者のかけがえのない「いのち」を育み，新たな文化の創造へといざなう複雑な営みです。それは，人間としての誇りや喜びへとひらかれた営みですが，人間であるがゆえの不安や葛藤も多い営みでもあります。ここに教育の難しさと奥深さがあります。
　この章では，これまであなたが抱いてきた「教育の原風景」をふりかえり，教育学の入り口にある基本概念にふれながら，あなたの教育観をみつめ直す端緒をみつけてください。そのことをとおして，よい教育とはどのような教育なのか，という根源的な問いの糸口を探ってみてください。

KEYWORDS

教育的思慮深さ　教化　教導　いのちのケアと育み　発達援助　ポルトマン　生理的早産説　アヴェロンの野生児　弱さ　ルソー　共同保育　カント　イニシエーション　社会の持続的発展　文化の創造的伝承　ランゲフェルト　教育的価値　ケイ

1 あなたの教育の〈原風景〉は？

> **QUESTION**
> 私たちは，だれもが他者から教育を受けたことがあります。他者を教育したことのある人も多いでしょう。それはあなたにとってどのような経験でしたか。心と身体に耳を澄まして思い起こしてみてください。

　あなたは，教育ということばを聞いたとき，はじめにどのような情景を思い浮かべますか。ある目標を達成するために厳しいトレーニングを受け，その期待に応えようと懸命にがんばっている子どもの姿ですか。それとも，親鳥が卵を温め，雛鳥を育て，巣立ちへといざない，小鳥が大空に飛び立つ様子ですか。

　たしかに，教育ということばには，子どもたちが先人たちの知恵や技を，しっかり伝授され，たっぷり鍛えられるというハードな響きがあります。その一方で，教育ということばには，子どもに寄り添い，子どもと一緒に歩み，その背中がそっと押されるというソフトな響きもあります。あなたの教育のイメージは，どちらに近いですか。それとも，どちらでもない別のイメージですか。

WORK①

あなたの教育の原風景（イメージ）を探ってみよう　次のページの例を参考に，「教育」ということばを中心トピックにして，あなたのマインド・マップ★を作成してみてください。
　また，可能であれば，他の人が思い描いたイメージと交流し合ってみてください。普段，あなたが当たり前だと思っていた教育のイメージに，新たな「問い」が生まれてくるかもしれません。そして，あなたが抱いていた教育についての「原風景」が，ほんのりとみえてくるかもしれません。

---

note

★　マインド・マップは，自分が無意識のうちに使っている生活的概念（日常概念）を浮き彫りにし，科学的概念への扉を開いてくれるツールの1つです。詳しくは，ブザン（2013）を参照。

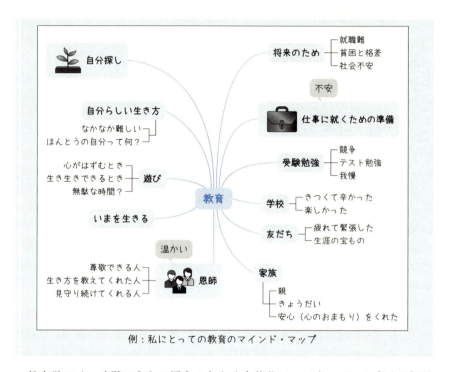

例：私にとっての教育のマインド・マップ

　教育学では，暗黙のうちに疑うことなく身体化してしまっている自分の知識を問い直しながら再構築することを，「学びほぐし」（アンラーニング：un-learning）と「学び直し」（リラーニング：re-learning）と呼ぶことがあります。このプロセスを他者と共有することをとおして，私たちの経験は深く省察され，教育的思慮深さ（pedagogical thoughtfulness；マーネン，2003）が磨かれると考えられています。あなたの「教育」の原風景はみえてきましたか。いま，あなたが描いているオリジナルなイメージを大切にして，よい教育とは何か，という問いを深める旅をはじめましょう。

「教育」の〈原義〉

〈教〉と〈育〉の紐帯

　どのような学問を探究するときにも，その学問に固有な概念の地図や海路図

が必要です。学び応えのある教育学への旅をはじめるために，まず，教育という概念から読み解いてみましょう。教育とはどのような意味をもつことばとして誕生したのでしょうか。その淵源を探ってみましょう。

はじめに，日本語の教育ということばの原義から探ってみましょう。文字どおりにみれば，教育ということばは，〈教〉と〈育〉という2文字から構成されています。〈教〉(教える)ということばにも，〈育〉(育む，育つ)ということばにも，それぞれに独特の意味があるように思われますが，これがなぜ〈教育〉ということばとして広く使われるようになったのでしょうか。

教育ということばが日本語として使われるようになったのは，それほど古いことではありません。明治初期に箕作麟祥が，イギリスで出版された『百科事典』の1項目である"education"を，悩み，苦労しながら「教育」と翻訳しました。この訳語が，教育ということばを日本語として定着させる1つの重要な契機となったと考えられています。

箕作は，エデュケーションということばには，〈教〉という1文字でも，〈育〉という1文字でも表現できない「何か」が意味されていると感じていたようです。彼は，江戸末期まで広く日本で使われていた，教化や教導ということばでも言い尽くせない何かを"education"ということばに感じていました。箕作は，その翻訳に苦慮し，ためらいながら〈教育〉という造語を生み出したといわれています。

さて，当時の箕作とともに，〈教〉と〈育〉が分かちがたく結びついている何ものかがある，と考えてみましょう。

教えるという営みは，育むという営みを伴わなければ成り立たない。また，育むという営みは，教えるという営みへとひらかれていなければ成り立たない。そうだとすれば，子どもに何かを教えるということは，その子の「いのち」を育むことと深く結びついていなければ意味がない。逆に，ある子どもの「いのち」を育むということは，その子に何かを教えるという世界へつながっていなければ意味がない。教えと育みは，一方なしには他方が成り立ちえない密接不

---
note

★ 教化はインドクトリネーション (indoctrination) の訳語としても使われています。一般に，インドクトリネーションは，特定の思想や価値体系を無批判に他者へ教え込むことを意味しています。

可分のものである。江戸末期から明治初期に，箕作は，このような模索のなかから教育ということばをつくったのではないでしょうか。

ケアと発達援助の営み

では，「教育」と翻訳された原語である"education"のもともとの意味（原義）を探ってみましょう。

『オックスフォード英語辞典』（*Oxford English Dictionary*, 2nd ed.）によると，エデュケーションという項目のはじめには（今は古語となっているという注釈がありますが），栄養のある食物を与えていのちを育むこと，または，飼育・栽培すること（nourishing/rearing）と記載されています。それに続いて，育ちを促すこと（bringing up），教え，訓練すること（instruction/schooling/training）という記述が続いています。

また，エデュケーションということばの語源をさかのぼると，ラテン語の"educo"（エデュコ）という動詞にたどり着きます。その後，この動詞が，引き出すという意味の"educere"（エデュケーレ）と，養いつつ育むという意味の"educare"（エデュカーレ）に分かれます。これらの流れをルーツとして今日の"educate"（エデュケート）という動詞が成立しています。

ラテン語の原義を探ると，教育（education）ということばには，栄養のあるものを与えていのちを育む，という意味の古層があり，その後に，内部にあるものを外へと引き出すという意味のエデュケーレと，養いつつ育むという意味のエデュカーレに分岐しながら，その統一体として，育みつつ教える（教育する）という意味のエデュケート（名詞はエデュケーション）という概念が生まれたことがわかります。

原義にまでさかのぼって考えると，日本語でも，ラテン語でも，エデュケーションとしての教育ということばには，いのちを育みながらケアし，その発達を援助するという意味が内包されていることがわかりました。その原義から読み解くと，教育という営みの原点には，人間のいのちのケアと育みがあり，そこに文化・教養へのいざないという契機が胚胎しているということがわかります。教育の原義は，いのちのケアと育みを基盤とした人間発達援助であるということもできます。

人間に必要な「教育」とは？

人間の〈可塑性〉と〈可能性〉

> QUESTION
> あなたは，教育という営みは，いつ，どこで，どのような必要から生まれてきたのだと思いますか。サルが，類人猿になり，それが人間（ヒューマン）になったとき，私たちの祖先は，教育という営みを，なぜ必要とするようになったのでしょうか。

　教育という営みの歴史的な起源は，出産や育児あるいは子育てでした。人間の場合，生まれたばかりの赤ちゃん（新生児）は，一人で生きていくことはできません。だれかに身をゆだね，だれかに刻々に応答してもらわなければ，その生命（いのち）さえも奪われかねない「弱さ」のある存在です。

　動物学者であるポルトマン（Adolf Portmann, 1897-1982年）は，人間の赤ちゃんの状態を，他の動物と比べて生理的に早産だと解釈しました。たしかに人間の赤ちゃんは，他の高等な哺乳動物と比べても，少なくとも12カ月程度は早く生まれているのではないかと思われるほど未熟な状態にみえます。

　ポルトマンは，人間の赤ちゃんが未熟なまま生まれ，その後もゆっくり育つというこの特性が，人間を人間の世界へとひらいているともいいます。子どもが人間になりゆくプロセスは，遺伝によってすべてが決定されているのでもなければ，環境のみに運命づけられているのでもありません。両者の影響を受けながらも，人間の子どもはつねに新しい自己を創造し続けています。

　このポルトマンの生理的早産説は，科学的に厳密な根拠にもとづいているかどうかという点では未だ議論ある学説ですが，赤ちゃんが自分の足で歩いたり（二足歩行），自律的な捕食のためにスプーンを使ったりする能力が，生後1年くらいたたないと獲得できないのはどうしてなのか，という問いへの解釈とし

---
note

★　臨床教育学は，このような原義にもとづいて，総合的な人間学にもとづくケアと発達援助の理論と実践を探究しています。臨床教育学は，尊厳ある他者の人生に寄り添い，人間形成・発達援助の現場で生成される臨床的な知を構想する領域横断的な学問分野です。

て興味深いものです。

　人間の子どもは，他の高等な哺乳動物と比較してとても「弱い」状態で生まれてきます。そのことによって，いのちのケアと育み，さらには文化の継承・発展へといざなう発達援助のシステムが形成され，人間は，遺伝的，環境的な諸要因によってさまざまに条件づけられながらも，無限の可能性へとひらかれた存在になりました。

アヴェロンの野生児

　18世紀末に南フランスでみつかったアヴェロンの野生児（後にヴィクトールと名づけられる）は，何らかの原因で人間社会から隔離された環境で育った12歳前後の少年でした。この少年は，医師ジャン・イタールらによって，献身的な治療と教育を受けました。この少年の感覚機能に回復のきざしはみえましたが，言語の習得や社会性の発達は困難を極めました。

　もちろん，この少年の場合，きわめて過酷な環境に適応して生きていたと推定されるわけですから，人間という種がもつ可塑性（環境への適応の可能性）には驚くべきものがあるということもできます。しかし，アヴェロンの野生児との出会いとその後の教育（療育）は，私たちに別のことも教えてくれているようです。それは，人間が，幼いときに，その育ちにふさわしい養育を受けることができなかった場合には，人間として育つための潜在的な可能性さえ著しく制約されかねないという厳しい現実です。

〈弱さ〉を慈しむケア

　このように，人間の子どもは，他者との応答を絶たれ，一人で放置されたままでは，生きることも育つこともできない「弱さ」をもっています。他の人間によって養育されなければ，いのちを維持することもできなければ，その人間に眠り込んでいる可能性を開花させることもできない「弱さ」をもっています。

---

note

★　「無限」の可能性とは，すべての子どもが，よい指導者に恵まれれば，オリンピックで金メダルをとることができる，というような意味ではありません。一人ひとりの子どもが，そのかけがえのない生命（いのち）を輝かせるように成長・発達するという事実に上限はない，だれもその上限を設定することはできない，という意味です。

しかしその弱さゆえに，人びとがつながり合って，そのいのちをまるごといとおしみ，守り，育むための叡知と共同体（コミュニティ）をつくり合う必要も生まれました。

フランスで活躍した思想家で，教育学に大きな影響を与えた<u>ルソー</u>（Jean-Jacques Rousseau, 1712-78 年）は，『エミール』（1762 年）で次のように述べています。

>「<u>人間を社会的にするのはかれの弱さだ</u>。わたしたちの心に人間愛を感じさせるのはわたしたちに共通のみじめさなのだ。人間でなかったらわたしたちは人間愛など感じる必要はまったくないのだ。愛着はすべて足りないものがある証拠だ。わたしたちのひとりひとりがほかの人間をぜんぜん必要としないなら，ほかの人間といっしょになろうなどとはだれも考えはしまい。<u>こうしてわたしたちの弱さそのものからわたしたちのはかない幸福が生まれてくる</u>。」
>
>（ルソー，1963，32 頁，下線は引用者）

ここに人間の子どもが他の人間による教育を必要とする1つの理由があると考えられます。このように「弱い」存在としての子どものいのちの育みとケア（保育や養育）に関する叡知が，しだいに蓄積され，世代から世代へと継承されて，教育という営みの原型がつくられました。そこから育児や子育てや<u>共同保育</u>という文化が創造されてきたのだと考えられます。

育みと教えをつなぐもの

ルソーは，『エミール』で次のようにも述べています。

>「<u>わたしたちの最初の教師は乳母だ</u>。だから，『教育』ということばは，古代においては，わたしたちがその意味ではつかわなくなっている別の意味をもっていた。それは『養うこと』を意味していた。『産婆はひきだし，乳母は養い，師傅はしつけ，教師は教える』とワローは言っている。このように，<u>養うこと，しつけること，教えることの3つは，養育者，師傅，教師がちがうように，それぞれちがう目的をもっていた。しかし，この区別はよい区別とはいえない。よく導かれるには子どもはただ1人の指導者に従うべきだ</u>。」
>
>（ルソー，1962，39 頁，下線は引用者）

ここで，ルソーは，「乳母」のように「養うこと」が教育の原点であり，しかも，養うことは，しつけること，教えることと三位一体のものとして，一人の指導者のなかに分かちがたく結びついていることに意味があるのではないか，と私たちに問いかけているようです。ルソーは，教育という営みの源泉が「養うこと」（いのちの育みとケア）であることを確かめながらも，それが，しつけることや教えること（社会と文化への参入・参加へのいざない）とどのように結びつくべきなのか，と考えはじめていたように思われます。

　一人の教育者が，他者（子ども）のいのちをケアし，育むことと，先行する社会や文化への参入・参加へといざなうことを，その内部で統一しながら実践していくことは，今日においてもなお難しい課題の1つです。

　ルソーから影響を受けながらも，「自然状態」から脱する人間の理性に理想をたくしていたカント（Immanuel Kant, 1724-1804年）は，『教育学講義』（1803年）のなかで，「人間は教育されなければならない唯一の被造物である。教育とはすなわち養護（保育，扶養）と訓練（訓育）と教授ならびに陶冶を意味する」と記述しています。カントは，人間の陶冶の可能性にふれながら，養護，訓練，教授，陶冶が，統一体となって遂行される教育によってはじめて，人間は人間になるのだというのです。

　ここに，人間が，教育という営みを必要としている2つの源泉，すなわち「いのちのケアと育み」という源泉と，「社会や文化への参入・参加へのいざない」という源泉とを結ぶ〈環〉に対する教育学的な問いをみて取ることができます。

社会と文化への参入・参加

　出産，育児，子育ては，その子どもが属しているそのコミュニティの歴史や文化との出会いをとおして，その文化の継承と創造に，その子どもらしい仕方で，参入・参加していくことを準備する営みでもあります。幼い子どもたちは，多くの人びとに見守られ，生活をまるごとケアされながら，しだいにコミュニ

---

note
★　陶冶（教養または教育）は，ドイツ語のBildungの訳語として広く使われてきました。子どもの内部に耕されるべき教養や人間性という語感の強いことばで，英語では，cultivation, formationと訳されています。

Column❶　教育におけるウェルビーイングの探究

　子どもは，幸せであることを願っています。教師も，子どもの幸せを願っています。しかし，複雑で多様化する社会状況のなかで，幸せでありたいと願っていても，それがなかなか叶わないこともあります。辛さや悲しさ，ときには絶望を抱えながら，いま，このときを懸命に生きている子どもも少なくありません。その姿は切なくみえることもありますが，尊厳に満ちてみえることもあります。

　1948 年に WHO（世界保健機関）は，その憲章前文で，ウェルビーイング（well-being）を「病気ではないとか，弱っていないということではなく，肉体的にも，精神的にも，そして社会的にも，すべてが満たされた状態にあること」と定義していました。その後，この概念は，医療・看護だけでなく，福祉，心理，教育でも幅広く使われることばになりました。近年では，OECD や UNESCO でも，日本の教育政策文書でも，しばしば使用されるようになりました。

　一般に，ウェルビーイングは，ある人間がある環境のもとで良い／善い（well）存在であることを意味しています。そこから教育におけるウェルビーイングに，2 つの問いが生まれます。1 つは，ある社会のなかで，自己と環境との「間」に揺蕩う「場」(topos) を「ウェル（良い／善い）」と実感できるとはどういうことか，という問いです。もう 1 つは，そのように尊厳のある子どもが，他者から，そこに「在る／居る」ものとして尊重されるとはどういうことか，という問いです。

　教育においてウェルビーイングを探究するときには，人間が，ある社会のなかで「何を為したか／何の役にたったか」（doing），ということよりも，その人間が，他者との関係性のなかでどのように「在る／居ることができたか」（being），という存在論的な問い（ontological issue）のほうが，より重要になります。つまり，子どもを「強さ」も「弱さ」もあわせもつ存在そのものとして理解し，その子にとって「良い／善い」支援や指導とは何か，という問いが重要になるのです。

　いま，複雑な社会状況のなかで，激しい嵐に見舞われながら，懸命に生きている子どもたちがいます。そのような子どもたちの「良い／善い」存在（ウェルビーイング）を促進するために，教師に何が必要なのでしょうか。それは，風雨に戦いを挑む生き様を応援することでしょうか。それとも風雨から逃れ続ける生き様を支援することでしょうか。あるいは，風雨のなかを後退りしなが

> ら，凛とした姿勢で（時には「弱さ」を抱えた情けない自分も受け容れながら）未来へ歩む生き様に寄り添い歩むことでしょうか。いま，さまざまな諸政策で言及されているウェルビーイングの概念は，このような教育学的問いに立ちどまって再考されなければならないと思うのです。

ティや社会の文化へと参入・参加していきます。

それは，大人とともに農耕や狩猟の場に参加するなかで，あるいは，師匠と弟子という徒弟制のもとで，躾（しつけ），稽古（けいこ），見習（みなら）いを体験するなかで行われました。★ このような様式の教育は，徒弟としての修業期間に行われました。また，それはイニシエーション（通過儀礼）という様式でも遂行されました。やがてこれらが近代以降に公教育として組織されると，学校というシステムも生まれました。

デュルケーム（⇨第2章）は，社会学の視点から，教育とは，社会生活において成熟した世代によって，まだ成熟していない世代に対して行われる作用であるといい，社会の持続的発展のために教育が必要だと考えました。また，シュプランガーは，文化の創造的伝承（既存の文化の伝承を通じて新たな文化を創造すること）のために教育が必要だと考えました。これも社会的・文化的な視点から，教育という営みを人間が必要とする重要な理由だといえるでしょう。

WORK②

> **教育の目的** あなたは，教育の目的でもっとも大切にすべきものは何だと思いますか。既存の文化の効率のよい伝達・伝承だと思いますか，それとも新たな文化の探究や創造だと思いますか。あえてどちらかの立場をとりながら，その根拠も明らかにしながら話し合ってみてください。

このように，教育は，一人ひとりのいのちのケアと育みにかかわる営みであると同時に，ある文化をもった社会やコミュニティの存続や発展にかかわる営みでもあります。教育という営みをとおして，一人ひとりの人間は，かけがえのない存在としてその固有な可能性を開花させていきます。その潜在的な力は，

---
note
★ 日本の幕末期の寺子屋や私塾では，技芸を教えること（知識・技能の教授）と，人に道を教えること（人格形成）は，分かちがたく結びついた1つのことと考えられていました。

> **Column ❷　教育学が「応答」すべきものは何か？**
>
> 　オランダの教育学者，ランゲフェルト（Martinus Jan Langevelt, 1905-89 年）は，『教育の人間学的考察』のなかで，次のように述べています。
>
> 　　「われわれは教育学が現代の最も悲劇的な焦眉の学問となったことを知らなくてはならない。われわれは子供が何になり，また何であるように助けようとしているのか。子供は何のために生き，何のために死ななければならないのか。われわれは何と，また誰と戦い，何と誰とを守らねばならないのか。
> 　　『教育学的理論』の統一が求められるのは，抽象的な研究上の必要からではない。それを命じているのは，生活それ自体なのである。……教育学はさまざまな学問，社会的活動及び責任の分野で働いている人々を結集するところの，人間的に重大な意義のある活動分野であることが明らかとなる。」　　　　　　　　　　　　　　（ランゲフェルト，2013，29 頁）
>
> 　教育学が責任をもって応答しなければならないのは，どのような社会的・個人的現実なのでしょうか。教育学や教育の理論が，机上の空論とならずに，あるいは，安易なマニュアルのパンフレットとならずに，現場の実践と深く結びつきながら発展するとはどういうことなのでしょうか。このランゲフェルトの問いとともに考えてみましょう。

　その人がもつ自然が，その人にとって意味のある他者や，その人が意義を認めて参入・参加しようとする文化と出会い，かかわり合うなかで，はじめて花開きます。

価値探究のポリティクス

　このようにみてくると，人間には，教育という営みが，2 つの位相で，その必要性が自覚されてきたということがわかります。1 つは，いのちのケアと育みの位相です。もう 1 つは，文化の創造的継承に向けた発達援助という位相で

す。この2つの位相において，人間にとって何が値うちのあることかということ（教育的価値）が，その歴史的，社会的な環境のもとで問われてきました。もし「よい教育」というものがあるとすれば，それは，だれのための教育で，何のための教育か，何を根拠にそれが「よい」ということがいえるのか，ということがつねに問われてきたのです。

> **QUESTION**
> では，「よい教育」とはどのような教育なのでしょうか。「よりよい教育」があるとすれば，それはどのような教育を意味するのでしょうか。

スウェーデンの教育学者，エレン・ケイ（Ellen Karolina Sofia Key, 1849-1926年）は，アイロニーを込めてこう語ります。

>「わたしはいまだかつて，よく教育された人間を見たことがない。わたしの見たのは，いくらかの甘やかされた人間，一部の追い立てられている人間，それにたくさんの訓練された人間で，よく教育された人間ではない。」
>
> （ケイ，1979，140 頁）

ある社会・文化状況のなかで，そこにある姿とそこであるべき姿との「間」を問わざるをえないのが教育学です。ですから，教育学には，いつも価値をめぐるポリティクスが埋め込まれています。教育的価値をめぐる問い，たとえば，教育の目的と目標は何か，教育における倫理とは何か，教育者としての良心や思慮深さとは何か，ということなどについて，事実と叡知を参照しながら問い直すことが，教育学★に求められています。

---
note
★ 教育学は，広くは，教育に関する諸研究（educational research または educational science）を指すこともありますが，伝統的には，ドイツ語のペダゴーギク（Pädagogik：英語の pedagogy）の和訳として用いられることもあります。

SUMMARY

　この章では，あなたの「教育」に関するイメージをふりかえってみました。そして，教育の原義，教育の必要性，教育的価値という観点から，教育について考えるための糸口となる問いを探索してきました。あなたの教育に関する探究の手がかりはみつかったでしょうか。

　いのちのケアと育みという位相でも，文化への参入・参加へのいざないという位相でも，子どもと出会い，人間を「人間にする」教育を問い，刻々に実践的・倫理的な判断をしていくことが，教師や教育者に求められています。その意味で，教育学は，総合的人間学にもとづくケアと発達援助の学問だということもできます。以下の章でも，自分のすなおな感覚を大切にして教育学の問いを深めてください。

さらに学びたい人のために　　　　　　　　　　　　　　　　　　Bookguide

大田堯『生きることは学ぶこと——教育はアート』大田堯自撰集成 1，藤原書店，2013 年
堀尾輝久編『人間と教育——対話集』かもがわ出版，2010 年
田中孝彦『子ども理解——臨床教育学の試み』岩波書店，2009 年
皇紀夫編著『「人間と教育」を語り直す——教育研究へのいざない』ミネルヴァ書房，2012 年
ビースタ，G.／田中智志・小玉重夫監訳『教育の美しい危うさ』東京大学出版会，2021 年
村井尚子『ヴァン＝マーネンの教育学』ナカニシヤ出版，2022 年

引用・参考文献　　　　　　　　　　　　　　　　　　　　　　　Reference

カント，I.／勝田守一・伊勢田耀子訳（1971）『教育学講義他』明治図書出版
ケイ，E.／小野寺信・小野寺百合子訳（1979）『児童の世紀』冨山房百科文庫
ブザン，T.・ブザン，B.／近田美季子訳（2013）『ザ・マインドマップ——脳の無限の可能性を引き出す技術』新版，ダイヤモンド社
マーネン，V.／岡崎美智子・大池美也子・中野和光訳（2003）『教育のトーン』ゆみる出版
ランゲフェルト，M. J.／和田修二訳（2013）『教育の人間学的考察』増補改訂版，未來社
ルソー，J. J.／今野一雄訳（1963）『エミール』中，岩波文庫（上は 1962 年）

CHAPTER

第 2 章

教育を社会の視点から考えてみよう

INTRODUCTION

あなたは「教育は必要だと思いますか」と聞かれたら，どう答えますか。「もちろんです。いうまでもありません」と答えるのではないでしょうか。

では，あなたは，どうして教育は必要だと思うのですか。その理由はさまざまでしょう。でも，そのさまざまな理由も個人的な理由と，社会的あるいは国家的な理由に大別できそうです。

第 1 章では，個人的な教育経験から出発して，よい教育とはどんな教育かを考えました。この章では，そうした個人的な教育経験であっても，教育に対する社会あるいは国家からの要求や期待を背景にもっていることについて，もう一歩踏み込んで学んでみましょう。

KEYWORDS

デュルケーム　社会化　宮原誠一　立身出世　殖産興業　富国強兵　中央教育審議会　新学力観　個性尊重の教育　ポスト産業主義社会（知識基盤社会）　キー・コンピテンシー　生きる力　ゆとり教育　全国学力・学習状況調査（全国学力テスト）　アカウンタビリティ　平等（教育の機会均等）　協調学習　新自由主義（ネオ・リベラリズム）　相対的貧困率　子どもの貧困対策の推進に関する法律

1 教育の意義と目的

> **QUESTION**
> なぜ，私たちは学校に通うのでしょうか。なぜ，学校を卒業してからも，職場や家庭や地域で学び続けるのでしょうか。

教育の社会的機能

1つの理由は，教育は将来なりたい職業に就くとか，自己実現のために必要だからというものでしょう。もしかすると，純粋に学ぶことが楽しいから，好きだからかもしれません。しかし，それだけでなく，教育を受けて知識や技術や社会的規範を身につけた人が増えれば，社会や国家の維持や発展につながることも間違いありません。このように，教育の必要性は個人的効用の視点からだけでなく，より巨視的（マクロ）な視点からもとらえることができます。

教育の社会的機能に注目した代表的人物に，フランスの社会学者デュルケーム（Émile Durkheim, 1858-1917年）がいます。デュルケームにとって教育とは，まず何よりも社会の必要に応えるものであり，将来，生活することが予定されている社会環境に子どもを順応させることを目的とするものでした。このような教育の社会的機能を，一般に，社会化（socialization）と呼びます。デュルケ

ームは，人間のきわめて個人的な資質と思われるものでさえ，ある時代に社会的に重要とされることによって，その資質の伸長が促されると指摘しています。

　日本の教育学者のなかにも，デュルケームと同様，教育の社会的機能に注目した人たちがいました。たとえば，社会教育学者の宮原誠一（1909-78年）は，教育はそれ自体としては目的をもたず，政治の要求，経済の要求，文化の要求を人間化するのが教育であるという「教育の再分肢説」という考え方を唱えました。たしかに，私たちは一人で生きているのではありません。社会の成員として共同生活を営んでいる以上，その社会を支え，貢献する人間となることが求められているといえるでしょう。

個性・能力の伸長

　しかし，社会からの要求にただ順応するだけでは問題もありそうです。

　教育による社会化があまりに強く働きすぎると，個人が可能性としてもっている多様な個性や能力の伸長が抑制されてしまうかもしれません。また，現在の社会や近い将来の社会にとっての必要性という観点が強調されすぎると，教育は現状を維持する機能を果たすようになり，長期的視点からの社会の発展可能性が損なわれるということもありえます。

　そう考えると，教育の社会化機能が，個人を社会から求められる人間という鋳型にはめ込むような固定的なものであることには問題があります。むしろ，個人が社会の要求に応えつつ，個性や能力の自由な伸長をとおして現在の社会をさらに発展させていく可能性を含んだ，人間と社会の動態的な相互作用として考えるほうがよさそうです。宮原が，社会の要求の「教育化」（人間化）にこだわった意味も，この点にあるといえます。

　このように教育のとらえ方には，政治や経済や文化の維持発展を目的として，人間を社会に適応させる過程であるという考え方と，個人がもっている個性や能力を引き出し，その発展を促す働きかけだとする考え方があります。この2つの教育のとらえ方は互いに対立する場合もありますが，いずれか一方を絶対的に正しいとしてしまうと，個人と社会の双方にとって発展可能性が狭められてしまうかもしれません。

教育の社会的・国家的背景

> QUESTION
> 教育には，個人の個性や能力を引き出すという側面と社会や国家からの要求に個人を適応させるという側面がありました。日本の学校では，この2つの側面は，どのような兼ね合いのもとに進められてきたのでしょうか。

教育に対する社会的・国家的要求

　私たちが自発的に行っている自由な学習活動はともかく，学校などで行われる公教育は，社会や国家からの要求と無関係ではありません。そして，教育に対する社会的あるいは国家的な要求がとりわけ強くなり，教育の現状に満足できないときには根本的な教育改革の必要が唱えられます。

　日本では，明治初年の近代国家誕生と同時に公教育制度が創設されたことにはじまり，第2次世界大戦（アジア・太平洋戦争）後の民主的・平和的・文化的国家再建の推進力として教育に大きな期待が寄せられたこと，その後の国民経済の高度成長を支えた教育の普及と内容の高度化などが，その例です。

　もっとも，社会的あるいは国家的な要求を背景とする教育において，個人的目標の実現や幸福の追求がまったく不可能だったというわけではありません。たとえば，近代公教育制度の創成期においては，個人の立身出世と，殖産興業・富国強兵という目的が相互に矛盾しないものとして結びつけられていました。戦後教育においても公平な競争（平等主義と能力主義）という理念がある程度は実現されており，個人が学力あるいは学歴を獲得して，より豊かな生活を送ることができるようになることと，社会全体として成長を追求することの両

---

note

★　1872（明治5）年，近代公教育制度の出発点を定めた「学制」とともに布告された「学事奨励ニ関スル被仰出書」（学制序文）にある「人能ク其才ノアル所ニ應シ勉勵シテ之ニ從事シ而シテ後初テ生ヲ治メ産ヲ興シ業ヲ昌ニスルヲ得ヘシサレハ學問ハ身ヲ立ルノ財本共云ヘキ者ニシテ人タルモノ誰カ學ハスシテ可ナランヤ」という一節や，同じ年に公刊された福沢諭吉の『学問のすすめ』には，教育を通じて個人の立身出世と，社会・国家の発展の両方を調和的に実現するという考え方がよく現れています。

立が可能であったといえます。

　しかし，学ぶことの個人的効用を強く訴えた創成期の公教育の理念は徐々に後退し，代わりに国民統合の手段としての教育という性格が強まり，さらにその後は個人の幸福や生命を犠牲にしてでも，帝国主義国家の発展に貢献する国民の育成が教育に求められるようになりました。また，1950年代後半からの「追いつけ，追い越せ」型教育も，社会と個人をともに豊かにすることに成功を収めた反面，物質的，経済的な意味での豊かさを獲得する手段としての学力（学歴）競争が助長された結果，校内暴力やいじめや登校拒否など，個性の多様性や人格の尊厳に対する尊重を欠く側面を有していました。

ポスト産業社会の教育

　やがて，政府もこのような「追いつけ，追い越せ」型教育の問題を認めるに至りました。1990年，国の教育政策に大きな影響を与える中央教育審議会（文部大臣〔当時〕の諮問機関）が「審議経過報告」を公表し，学力（学歴）獲得競争は「既にある危険水域を超えた」と宣言しました。これを受けて，総合学科や新コースの設置による高校制度の多様化，入試選抜における点数重視からの脱却，選択科目増加などによる個別化の推進，「関心・意欲・態度」を重視する「新学力観」にもとづいた授業および教育評価への転換など，個性尊重の教育がめざされるようになりました。

　ただし，個性尊重の教育も根本的な社会変動を背景として打ち出されたものであるといえます。それは，モノの大量生産と大量消費が国民国家の経済成長，社会発展の推進力となっていた産業主義社会から，知識や情報の創造が中心的な価値となり，知識や情報を生み出す人と資本が国民国家の枠を越えてグローバルに移動する，ポスト産業主義社会（知識基盤社会）への移行です。この社会変動は，教育においても知識や技術の量から質へ，効率性から創造性への価値転換を要請するものです。

　このような20世紀から21世紀への転換期におけるグローバルな社会変動と，そこから求められる教育の新たな役割については，OECD（経済協力開発機構）が積極的に問題提起を行っています。習得した知識や技能を活用し，他者と協働して問題を解決する能力や，自律的に仕事をやり遂げる能力などを，グロー

バル化するポスト産業主義社会においてすべての人間に求められるキー・コンピテンシーと定義して，それを枠組みとする国際学習到達度調査 PISA (Programme for International Student Assessment) を実施しています。今日，日本を含む多くの国では，教育をとおしてキー・コンピテンシーのような高次の学力を身につけることが求められるようになっています。

WORK③

社会はどんな知識・技術・能力を求めているのか？ 私たちが現在生きている社会，あるいは将来の社会では，教育をとおして，どのような知識・技術や能力を伸長させることが求められるでしょうか。また，そうした知識・技術や能力は具体的にどのような教育によって育まれるでしょうか。OECD のキー・コンピテンシーも参考にしながら，話し合ってみましょう。

競争とアカウンタビリティ

現在，日本の学校では，基礎学力だけでなく思考力，判断力，表現力を子どもたちに獲得させることが目標とされ，学力と道徳と体力を総合した「生きる力」の育成をめざしてさまざまな教育改革が試みられています。その一方で，2002 年に「ゆとり教育」から学力重視へと国の教育政策が方向転換されるとともに，競争すれば学力は向上するとの主張がしばしば聞かれるようになっています。

アカウンタビリティ

子どもだけでなく，学校や教師も競争しなければならないというのが近年の競争を推進する意見の特徴です。文部科学省が 2007 年から開始した全国学力・学習状況調査（全国学力テスト）や，都道府県や市町村が独自に実施している学力テストの結果は，学習と授業の改善に役立てることを目的として受験した子どもとその教師にフィードバックされるだけでなく，しばしば都道府県別，市町村別に結果公表が行われています。さらに，教育にはもっと競争が必要だとする意見によれば，学校別公開も行うべきだということになります。結果が

> **Column ❸　日本の子どもたちの学習への姿勢**
>
> 　日本は外国と比べて，勉強の楽しさ（内発的動機）を感じている子どもの割合も，いましている勉強が将来役に立つ（道具的動機）と考えている子どもの割合も，ともに少ないことが知られています。
>
> 　たとえば，数学的リテラシーに焦点をあてた OECD の PISA 2012 でも，「数学を勉強しているのは楽しいからである」と答えた割合は 30.8% で，シンガポールの 72.2% やデンマークの 56.9% より少なく（OECD 平均 38.1%），「将来の仕事の可能性を広げてくれるから，数学は学びがいがある」と答えた割合も 51.6%（OECD 平均 78.2%）と，タイの 91.0% やフィンランドの 85.2% などよりだいぶ少ないという結果が出ています（国立教育政策研究所 HP「OECD 生徒の学習到達度調査〔PISA〕」より）。

公開され，他の学校と比較されることで，成績が振るわなかった学校とその教師たちはいっそう努力するだろうというのです。

　外国をみると，たとえば「一人の子も取り残さない法（No Child Left Behind Act：NCLB 法，2002〜2015 年）下のアメリカのように，学力テストの成績が向上した学校を表彰したり，予算の増額を行ったりする一方，成績が振るわない学校には，校長や教職員の強制的な入れ替えを行ったり，学校自体を閉校にする厳しいアカウンタビリティ★（accountability）を課しています。しかし，このように学校と教師を競争させ，その教育活動の結果に対する責任を厳しく課している州のほうが学力向上に成果を収めているという確定的な結論は現在までに出ていません。一方，競争よりも平等（教育の機会均等）が大切にされているフィンランドが OECD の PISA で好成績を収めてきたという事実もあります。

> **QUESTION**
> 　競争によって駆り立てられる学習には，何も問題はないのでしょうか。あるとすれば，どんな問題でしょうか。

note
★　もともとは会計用語ですが，「教育活動について説明する責任」，あるいは「学校や教師が教育活動の目標と結果に対して責任を負うこと」を意味しています。

競争の限界

競争で得られる学力の質には問題があるという指摘もあります。たとえば，競争による学力は，実際に生活するなかで出会う自然現象や社会現実とかかわることがなく，そのために本質的な理解を伴わない断片的な知識や技能の集積にとどまるという問題です。あなたにも，定期テストがあるから仕方ないので勉強したけれど，試験が終わったら，ほとんど何も覚えていなかったという経験はないでしょうか。

さらに，ほんとうに卓越した成果をあげようとするならば競争は必要ではないどころか，かえって妨げになるという意見もあります（コーン，1994）。教育では，このような考えにもとづくものとして，個人の学習の質を高めるという意味からも学び合いを重視する協同学習や協調学習★があります。普段は特に協同学習や協調学習に取り組んでいるわけではなくても，「できる」という成果（定型的問題解決）をあげるには競争が一定の有効性をもつ一方で，「わかる」という成果（概念的理解）をあげるには学び合いが有効であるということを実感的に経験したことがある教師は少なくありません。

教育と不平等

競争については，「競争が強調されるかげで，学力格差が広がっているのではないか」とか「競争は，私たちの社会をより不平等な社会にするのではないか」という意見もあります。

教育の商品化と新自由主義

ポスト産業主義社会においては，競争が否定されているわけではありません。むしろ，個人も企業などの組織も，国内にとどまらないグローバルな競争の真

---
note

★ 子どもが他の子どもとグループで課題を解決する学習を，一斉教授に対して，「協同学習」と呼びます。なかでも協調学習は，自分の理解している内容やそのプロセスを他者のそれと比較し，修正することで理解を深化させる過程を重視するものです。

ったただなかに投げ込まれるという面があります。

そのため，個人が競争に勝ち抜くのに必要な能力を身につける手段としての教育の意義はますます高まりますが，同時にそうした能力は個人的所有物（人的資本）であるとする考え方が支持されるようになっています。教育を受けることを自分への投資と考え，教育を市場で売買されるモノと同様にみなす傾向，すなわち教育の商品化傾向が強まっているのです。

日本を含む先進諸国では，国民国家の経済成長に伴って生じる大規模な社会変動によって個人と家族が危機的な困窮状態に陥らないように，社会保障制度（社会的弱者を社会的に守る仕組み）を整備してきました。しかし，先進諸国経済の基調が低成長もしくは不況へと転換した1970年代後半以降，生活に影響を及ぼす社会変動のリスクが大きくなりすぎ，個人を保護する社会の力はもはや限界に達したので，自分は自分で守らなくてはならないとする「自己責任」論が強く唱えられるようになりました。個人や企業の競争を社会経済の発展に必要不可欠としながら，その競争に参加する個人の能力発達（教育と職業能力の訓練）と競争の結果個人が負うリスク（職を失ったり，貧困に陥ったりすること）に対する国家の責任を最小限に抑えようとする，このような考え方は，「新自由主義」（ネオ・リベラリズム）と呼ばれます。

家庭の経済力と学力

しかし，子どもの教育に投資する家庭の能力（経済力，親の学力・教育志向，子どもの教育にかけることができる時間と労力など）には，もともと差があります。特に弱い立場にあるのが，経済的弱者です。

厚生労働省が2019年に実施した「国民生活基礎調査」（調査対象は2018年）によれば，日本社会の相対的貧困率（年間所得が全体の中央値の半分に満たない国民の割合）は15.4%でした。統計をさかのぼることができる1985年以降，最悪の数字となった2012年の16.1%からは若干低下していますが，相変わらず高水準であることに変わりはありません。ちなみに，2016年におけるOECD加盟39カ国の相対的貧困率の平均値は11.7%です。さらに，子ども（17歳以下）の貧困率は13.5%であり，一人親世帯の子どもに限れば，48.1%が相対的貧困と判断される経済水準のもとで生活しています。これは世界でもっとも裕

福な自由主義経済国の集まりとされる G7 参加国のなかで最悪の数字です。子どもの教育を受ける権利保障を目的に設けられている就学援助（⇨第 5 章）の受給者率も，2019 年の数字は 14.5% で 2012 年の 15.6% から若干低下してはいるものの，1995 年の 6.1% と比較すると依然として高い水準が続いています（文部科学省「就学援助実施状況等調査」）。これらの数字に現れている貧困や格差は，子どもの教育の機会と内容にも格差を生じさせる原因となるでしょう。実際，文部科学省の全国学力・学習状況調査の結果分析では，家庭の経済力が子どもの学力を強く規定していることが指摘されています（耳塚寛明を代表とするお茶の水女子大学グループが実施し，2014 年 3 月 28 日に公表された，平成 25 年度 全国学力・学習状況調査と保護者に対する調査の分析結果）。

教育を通じた格差拡大

　私たちは教育を受けることを通じて個性を伸ばし，知識・技術を身につけ，能力を伸長させますが，競争を奨励する新自由主義は自己責任を強調し，格差や貧困の解消に消極的です。

　就学援助を受けている子どもの割合が高い小学校で卒業文集に載せるために「将来の夢」という題の作文を児童に書かせたところ，3 分の 1 の子どもは何も書けなかったといいます。このエピソードからは，保護者をはじめ，自分の未来を思い描くモデルとなる大人が周囲にいない子どもが，現在の学びにも意義を見いだせなくなっていることが推測されます。学習に意欲をもてなければ，学力を身につけることも難しいでしょう。

　こうして経済格差は経済的に子どもの進学機会を制限するだけでなく，学習や将来への意欲や，実際の学力形成に格差を生じさせることによっても，その子の将来を狭めてしまいます。さらに，学力や学歴の差は，大人になってからの雇用や所得の差につながり，貧困の世代間連鎖や経済格差の固定化をもたらすおそれがあります。近年，このような事態を重くみた政府は，「子どもの貧困対策の推進に関する法律」（2014 年 1 月施行）を制定したり，幼児教育や高等教育の無償化を一歩進めるなど，対策に乗り出しています（⇨第 5 章）。

　子ども自身の力ではどうしようもない家庭の経済力が学力格差，教育格差の原因となるような社会は，決して平等とはいえないでしょう。すべての子ども

が将来の社会の形成者として必要となる学力を身につけるための学習を保障しようとするのであれば，競争を強める以前に，こうした不平等の解消に取り組むことが必要でしょう。

SUMMARY

　教育の目的や機能は，個人的なものと，社会的あるいは国家的なものに大別することができ，両方が相互に影響を及ぼしあいながら併存しています。社会が大きく変動し，それに応じて教育の改革が求められる時代には，社会あるいは国家からの要求が強くなります。

　現代のポスト産業社会では，これまでとは違った知識や技術を身につけることが求められています。そこで，教育に競争を課し，学校にアカウンタビリティを求めることで教育の質を高めようとする教育改革が唱えられていますが，それでほんとうに学力が向上するのかは明らかになっているとはいえません。また，競争やアカウンタビリティを強調する教育改革が，教育格差や経済格差を拡大することになりはしないか，といった問題も指摘されています。

　これからの日本の教育は，どのような方向に進むべきなのか。この教科書をとおして，一緒に考えていきましょう。

さらに学びたい人のために　Bookguide

木村元『学校の戦後史』岩波新書，2015年
デュルケム，É．／麻生誠・山村健訳『道徳教育論』講談社学術文庫，2010年
苅谷剛彦『大衆教育社会のゆくえ――学歴主義と平等神話の戦後史』中公新書，1995年
松岡亮二『教育格差――階層・地域・学歴』ちくま新書，2019年

引用文献　Reference

お茶の水女子大学（2014）「平成25年度 全国学力・学習状況調査（きめ細かい調査）の結果を活用した学力に影響を与える要因分析に関する調査研究」（平成26年3月28日公表）国立教育政策研究所HPより
コーン，A.／山本啓・真水康樹訳（1994）『競争社会をこえて――ノー・コンテストの時代』法政大学出版局

第 2 部
先人の知恵から学ぼう
試行錯誤の歴史

PART 2

CHAPTER
1
2
3   子どもという存在／人間という存在
4   教え方は試行錯誤されてきた
5   教育を受ける権利
6   子どもの学びを支える仕組み
7
8
9
10
11
12
13

CHAPTER

第 **3** 章

子どもという存在／人間という存在

INTRODUCTION

　子どもに出会うと思わず笑顔になり，心から可愛いと思うときがあります。そうかと思うと，不安やとまどいを感じて，困り果ててしまうときもあります。子どもは摩訶不思議な存在です。
　人間という自然（本性）からみたときに，子どもとはどのような存在なのでしょうか。自然としての子どもが人間として育つとはどういう意味なのでしょうか。この章では，子どもという存在そのもの（ontology）を深く問い直しながら，その育ちを援助する教育の在り方も問い直してみたいと思います。

KEYWORDS

聖性　野性　ペスタロッチ　キリスト教文化　アリエス　小さな大人　子どもと大人の境界　ギャングエイジ　人間としての自然　ヒューメイン　成長　発達　ブルーナー　存在論　ヴィゴツキー　発達の最近接領域　情動体験　ピア・パートナー　関係論　非認知能力　ウェルビーイング　セルフ・コンパッション

1　子どもと出会い直すとき

> **QUESTION**
> あなたにとって「子ども」とはどのような存在ですか。純粋で，無邪気で，思わず守ってあげたいと思う存在ですか。それとも，奔放で，わがままで，手を焼く存在ですか。愛しくみえたり，小憎らしくみえたり，神々しくみえたり，する賢くみえたり——そのような子どもとの出会いから，私たち大人は何を問いかけられているのでしょうか。

儚さと輝き

次の詩は，幼い子どもを謡った八木重吉の作品です。

「美しくあるく

　こどもが
　せっせっ　せっせっ　とあるく
　すこしきたならしくあるく
　そのくせ
　ときどきちらっとうつくしくなる

童(こども)

　ちいさい童(こども)が
　むこうをむいてとんでいく
　たもとを両手でひろげて　かけていく
　みていたらば
　わくわくと　たまらなくなってきた」　　　　（八木，1958，96-97頁）

　幼い子どもをみていると，私たち大人は，その未熟さ（弱さ）と根源的な生命力（輝き）にふれ，どきっとしたり，ほっとしたり，わくわくしたりします。幼い子どもには，生命の儚さと躍動感が同居しているゆえに，大人の心を揺さ

ぶり，私たち大人に小さな（そしてときに深い）問いを投げかけてくれる存在でもあります。

> **WORK④**
>
> **子ども時代の生活世界から考えてみよう** あなたがよく歌ってもらった子守唄は何ですか。あなたが，幼い頃に親や大人から聞いたお話（昔話や民話）を覚えていますか。幼い頃にあなたが楽しんだ手遊び歌を覚えていますか。子ども時代に，あなたが見て，聞いて，感じていた生活世界を思い出しながら，互いに語り合ってみてください。子どもという存在を理解する手がかりがみえてくるかもしれません。

　たとえば，日本の子育て文化のなかで，幼い子どもは，「七つまでは神の子」，あるいは「六つまでは神のうち」などといわれてきました。幼い子どもは，神ではないが，まだ人間にはなりきっていない曖昧な存在――神と人との中間的存在――とされてきたのです。そこには，幼い子どもがもつ「聖性」への敬意とともに，困窮のなかで，小さな生命を守ることさえ難しかった民衆の切ない現実があったといわれています（浜田，2009）。いのちの儚さと，いのちの輝きに出会うなかで，大人は，決して万能ではないみずからの存在を問い直し続けてきました。そして，その苦悩や困難を他者と分かち合い，その時代の社会や文化のシステムそのものをよりよくしようと努力し続けたのです。

　本田和子は，とても興味深いエピソードを紹介しています。幼い子どもが遊んでいる姿に出会うと，私たちは，しばしば不思議な経験をします。たとえば，泥で遊ぶ幼い子どもをみて，何か神々しい「聖性」を感じることもありますが，何かやっかいな「野性」を感じることもあります。本田は，このような感覚を抱きながら，大人は子どもの間にさまざまに新しい関係を発生させているというのです（本田，1992）。

　たしかに，私たち大人は，子どもに聖性を感じたかと思ったその瞬間，その子どもの野性に翻弄されている自分に気づくことがあります。古来，子どもは大人をうっとりさせるような清らかさと，大人をどっきりさせるような野性をあわせもつ存在です。このように心を揺さぶられる出会いをとおして，大人もみずからの存在や生き方を問い直し，子どもと大人の関係が絶えず編み直されているのかもしれません。そして，子どもの聖性と野性から，他者とのかかわり合いや，社会や文化というシステムそのものをふりかえりながら再構築する

ペスタロッチのシュタンツでの教育実践

(出所) ペスタロッチー, 1993 をもとに作成 (元図は Pestalozzi with the orphans in Stans, 1879 by Konrad Grob)。

力を得ていたのかもしれません。

善と悪

　スイスの教育学者，ペスタロッチ (Johann Heinrich Pestalozzi, 1746-1827年) は，「居間の教育」(Wohnstubenerziehung) を，教育の1つの原点としてとらえ，その様子を次のように描いています。

> 「わたしはほとんどただ一人朝から晩まで彼らのなかにおった。彼らの心身にためになるものはすべてわたしが与えた。窮したときのどんな救済も，どんな援助の申し出も，彼らが受けたどんな教訓も直接わたしが与えた。わたしの手は彼らの手のなかにあったし，わたしの眼は彼らの眼をみつめていた。
> 　わたしは彼らとともに泣き，彼らとともに笑った。彼らは世界も忘れ，シュタンツも忘れて，わたしとともにおり，わたしは彼らとともにおった。彼らの食べ物はわたしの食べ物であり，彼らの飲み物はわたしの飲み物だった。」
> 　　　　　　　　　　　　　　(ペスタロッチー, 1993, 57-58頁)

　これは，ペスタロッチが，スイスの新政府から依頼されて経営を引き受けたシュタンツの児童支援施設での実践記録です。当時，ペスタロッチは，ノイホーフでの農業経営がうまくいかず，一人息子であるヤーコブについての「育児

日記」を綴りながら，教育的な思索を深めはじめていました。教育学の父とも称されるペスタロッチは，「書斎の哲人」ではなく，つねに「いま・ここ」で生きている目の前の子どもとのかかわり合いから思索を深めました。ペスタロッチが偉いのは，声高に理想を語ったからではなく，自己の体験をとおして，生涯にわたり，立ちどまり，問い続け，根源的な問いを編み直し続けたことにあるのだと考えられます。

> **WORK⑤**
>
> **子どもの本性は善か悪か?** ところで，あなたは，人間の子どもは，生来「善なる存在」だと思いますか，それとも「悪なる存在」だと思いますか。その理由も明らかにしながら話し合ってみてください。

18世紀後半の社会状況と当時のキリスト教文化のなかで，ペスタロッチは，当初，子どもは天使のように善い存在だと仮定することからはじめました。しかし，その後，子どもは悪い存在だと考えざるをえない経験を繰り返します。そして晩年になってようやく，子どもを社会生活のなかで，そして教育によって，善にも悪にもなりうる存在としてとらえるようになったのです。

ペスタロッチのように考えると，「子どもは天使だ」と手放しで信じることも，「子どもは悪魔だ」と決めつけてしまうことも，ともに一面的な見方だということになります。子どもは生まれながらに善なる存在でも，悪なる存在でもなく，社会環境や教育のなかで，善にも悪にもなりうる存在です。善と悪とは，歴史的で社会・文化的な現実を生きている一人の子どもの2つの側面です。

善のなかに悪の萌芽が芽生えることも，悪のなかに善への透明な希求が眠り込んでいることもあります。このようなまなざしで子どもと出会い直してみると，大人も新たな視点で自分自身と出会い直すことができるかもしれません。

子どもの発見（ルソー）

次に，人間の育ちの時間軸でみてみましょう。一般に，子ども (child) は，まだ大人になっていない若くて幼い人間 (a young human who is not yet an adult) を意味することばです。

> **Column ❹　教育学の「古典」を学ぶということ**
>
> 　ペスタロッチのような教育（教育学）の古典を学ぶときには，その人を神聖化したり，その人のことばを神託のようにとらえたりするのではなく，その人がその時代に，何に悩み，何を課題ととらえ，何を探究しようとしていたのか，をとらえながら学び直すことも必要になります。古典から学ぶだけでなく，古典とともに自分の心と身体で考えることが教育学の探究では大切な作法になるのだと思います。

> **QUESTION**
> 　では，子どもは，単に，まだ一人前の大人になっていない未熟な存在にすぎないのでしょうか。子ども時代は，成熟した大人になるための「準備期間」にすぎないのでしょうか。

　ルソー（⇨第1章）は，『エミール』で，「このうえなく賢明な人々でさえ，大人が知らなければならないことに熱中して，子どもにはなにが学べるかを考えない。かれらは子どものうちに大人をもとめ，大人になるまえに子どもがどういうものであるかを考えない」と，当時のフランス貴族社会の風潮を批判しています（ルソー，1962，23頁）。

　ルソーは，同じ書物のなかで，「自然は子どもが大人になるまえに子どもであることを望んでいる。この順序をひっくりかえそうとすると，成熟してもいない，味わいもない，そしてすぐに腐ってしまう速成の果実を結ばせることになる」といいます。これもまた，深く考えさせられる問いです。

　フィリップ・アリエス（Philippe Ariès, 1914-84年）は，『〈子供〉の誕生』のなかで，子どもは，長い間，大人と比べて身体が小さく能力が劣る「小さな大人」とみなされてきたと指摘しています（アリエス，1980）。17世紀から18世紀に，共同体としての家族が崩壊し，近代家族が生まれ，大人の生活と子どもの生活が分離しはじめた頃から，子どもは，社会からの意識的な配慮（ケア）と教育の対象になったというのです。

　たしかに，子ども時代という概念は，近代以降に創造された世代概念だとい

小さな大人

(出所) 中野・志村，1978をもとに作成。

う見方もできます。近代社会の成立や学校制度の拡充が，子どもを大人からは独立した存在として認めよう——子どもは子どもとして認めよう——という社会的な機運を形成していったとみることもできます。このような社会環境が生まれることによって，子ども時代に，子どもらしく生きるということに積極的な価値が見いだされ，その育ちの時機に相応しいケアと発達援助とは何か，という教育学的な問いが生まれるようになったと考えられます。

　ルソーは，子どもは「小さな大人」(大人を小さくしただけの存在) ではなく，子どもという時代を子どもとして，みずからさまざまな困難を乗り越えながら生きる存在としてとらえ直しました。そして，子どもの育ちにおける自然の歩み（その本性が開花し，そのときどきの社会・文化環境のなかで発揮されていく道筋）について洞察を深め，その歩みに寄り添う技芸（アート）としての教育を探索し続けました。

　もちろん，ポストマン（2001）がいうように，今日の新しいメディア環境のなかで，「子ども期」がしだいに消滅しつつあるという指摘もあります。今日，大人が固有にもちえていた情報へのアクセスは子どもでも容易になりました。その結果，子どもと大人の境界が曖昧になり，大人のような子ども，子どものような大人も増えているという現実をどう理解すべきか，という問いにも興味深いものがあります。

　また，今日の社会には，子どもはできるだけ早く（効率よく）一人前の大人に育てるべきだという考え方もあります。子どもは未熟で半人前だから，一刻も早く一人前にしなければならないという考え方もあります。子どもは大人と比べてさまざまな能力が劣っているのだから，一刻も早く有能にすることが教育の役割だという考え方もあるでしょう。

しかし，乳幼児期に思い切り遊ぶ（遊び合う）ことを経験できないまま，才能開発のためのスキル・トレーニングを受け，少年期には「遊んでいる暇があるなら勉強せよ」といわれ，他人より早く，他人より先に，大人になる（既存の社会に適応する）ことを強く求められてきた子どもたちの心に，いったい何が育まれるのでしょうか。

　どろんこになって微笑んだり，仲間と心の赴くまま戯れたり，秘密基地をつくってわくわくする冒険をしたりするギャングエイジ＊としての少年期も味わえないまま，受験や習い事でくりひろげられる他者との競争に勝った向こうに何が残るというのでしょうか。子どもを単に「小さな大人」あるいは，「一刻も早く大人にしなければならない人間」ととらえる視点は，いま，深く問い直されているのではないでしょうか。

人間 (humane) へのまなざし

　一方，子どもという存在を理解するためには，子どもの人間としての自然（本性）に関する省察が必要です。

　もとより，人間の自然は社会・文化から隔絶された真空のカプセルのなかで発露しているわけではありません。人間としての自然は，つねに社会・文化的な環境によって媒介されています。いまや社会・文化からまったく影響を受けていないピュアーな人間としての自然という存在を想定することはできません。

　人間としての自然（本性）とは何かという問いについては，近代以降の教育学の開拓者たちによって，つねに吟味されてきました。

　18世紀半ば，ルソーは『エミール』のなかで「自然の秩序のもとでは，人間はみな平等であって，その共通の天職は人間であることだ。……生きること，それがわたしの生徒に教えたいと思っている職業だ」（ルソー，1962, 38頁）と述べています。ルソーには，いつも自分を押し殺し，大人の顔色をうかがい，将来のために〈いま〉を犠牲にして生きていた，近世フランス貴族社会の子どもの姿が，あまりにも不自然にみえていたのでしょう。

---
note

★　ギャングエイジとは，児童期の中期から後期にかけて，主に遊びを中心にして形成される凝集性の高い集団のことです。多くの場合，その成員だけに通じる約束やルール（秘密や暗号など）があり，このなかで「われわれ意識」が形成されます。この経験は，社会性を形成する基盤となるものだと考えられています。

18世紀末，ペスタロッチ（1993）は『隠者の夕暮』の冒頭で「玉座の上にあっても木の葉の屋根の蔭に住まっても同じ人間，その本質からみた人間，一体彼は何であるか。何故に賢者は人類の何のものであるかをわれらに語ってくれないのか」と問いかけています。ペスタロッチの目の前には，戦乱や貧困で親を失い，「やせ細って骸骨のようになり，顔は黄色く，ほほはこけ，苦悩に満ちた眼をもち，邪推と心配でしわくちゃになった額をもった子ども」が数多くいたのです。

　ルソーをはじめとする近代教育学の古典家と呼ばれる人たちは，子どもや人間という存在を，つねに社会・文化や政治・制度の問題と深く結びつけた知識人でした。そして，戦争，飢餓，貧困，災害等を被り，耐え難い苦悩を抱えて生きようとしていた子どもや援助者に深く心を寄せることで，みずからの教育学を構築しようとした一人の人間でもありました。

　そう考えると，ルソーがいう「天職」でもあり，生徒に第一に教えたいと思っている「職業である人間」という意味も，ペスタロッチがいう「その本質からみた人間」という意味も，厚みをもって理解できるのではないでしょうか。

　オランダの霊長類行動学者，フランス・ドゥ・ヴァールは，人間性の原義をヒューメイン（humane：慈悲深く寛容であること）としてとらえ直しています（ヴァール，2010）。ヴァールは，苦しみ悩んでいる他者や動物と痛みを分かち合い，人道的なケアを遂行する志向性が，いま生き残っている人間のゲノムに深く刻み込まれているというのです。

人間が「育つ」ということ

他者・文化・自己のストーリー

　子どもは，その固有な歴史的，社会的，文化的諸条件のなかで，さまざまな制約を受けながら，その自然（本性）を発露して育ちつつある存在です。

> **QUESTION**
> では，子どもが育つとはどういうことなのでしょうか。そもそも，人間が育つとは

どのような意味なのでしょうか。

　まず，人間の育ちについて考え続けた先人たちの見解をふりかえってみましょう。

　日常用語としての育ちは，「成長」と「発達」を包摂することばです。成長と発達の違いについてはさまざまな見解があります。成長は，内発的で生物学的な変化であり，発達は，外発的で社会・文化に媒介された変化だというとらえ方もあります。また，成長 (growth) が連続的で量的な変化を意味するのに対して，発達 (development) は，非連続的で質的な変化を意味するというとらえかたもあります。たとえば，身長が高くなった，というような連続的な変化は「成長」ということばで表現され，人格が発達した，というような内外の複雑なシステム全体の構造的変化は「発達」ということばで表現されます。

　人間の育ち（成長と発達）は，その人間に固有な自然（本性）が発露する——その人らしい特性が立ち現れてくる——過程ですが，それは何もない〈真空状態〉で遂行されることはありません。人間は，生まれてすぐに（場合によっては母親の胎内にいるときから）社会・文化的環境との相互作用のなかで育ちます。たとえば，人間は，生まれたときから一人ぼっちで育つことはありません。人間は，いつも他者との応答的コミュニケーションのなかで育ちます。また，人間は，その社会が共有している文化（道具，記号，言語，シンボル，物語など）とふれあい，出会い，他者とともにその意味を確かめながら育ちます。

　ブルーナー (Jerome S. Bruner) は『意味の復権』のなかで，自己の存在論について，ポルキンホーンの物語論を引用し，次のように記述しています。

「われわれは，物語的形態の使用を通して，われわれ独自の同一性と自己概念を達成する。そしてそれを唯一の展開し発展するストーリーの表現として理解することによって，自分の存在を一つの統一体にする。……自己とは，静的な物でも実体でもなく，個人的なさまざまの出来事を一つの歴史的なまとまりの中に形作ったものである。その歴史的まとまりは，その人がそれまで何であったかということだけではなく，その人が将来何になるのかという期待をも含んでいる。」
(Polkinghorne, 1988, 150 頁)

孤立無援の環境で，自分の人生の意味やそれを支えるストーリーを編むことはできません。他者と出会い，文化と出会いながら，人間は，自分が帰属するいくつかのコミュニティのなかで，自分の人生の物語を形成して育ちます。人間の育ちは，他者とともに文化を創造し合う協働活動と，そこに生きている自分の意味の創造活動とが互いに手に手を取り合いながら遂行されているのです。
　そう考えると，人が育つということは，知識が増えて「何かがわかるようになる」ことだけではなく，また，技能が向上して「何かができるようになる」ことだけでもなく，その人にとって意味ある文化や，その人にとって意味ある他者とかかわり合うことをとおして，その人らしさ（セルフ・アイデンティティ）が，くっきりと浮き彫りになってくることも含意しているということができるでしょう。

タイダル・ウェーブ理論

WORK⑥

「育ち」のイメージを描いてみよう　あなたは，人間の「育ち」をどのようにイメージしますか。あくまでイメージとして描いてみてください。絵でも，記号でも，ことばでもかまいません。それは，右肩上がりのカーブですか。小さな階段のようなものですか。膨らみゆく風船のようなものですか。

　一般に，人間が育つ軌跡には，線形性と非線形性があります。多くの場合，人間の育ちは，なだらかな坂道を登るようにイメージされることがあります。または，ステップ・バイ・ステップで小さな階段を一歩ずつ踏みしめながら登るようなイメージを描かれることもあります。たしかに，昨日よりは今日，今日よりは明日，というように，大人が準備した価値を指標にして，その達成の度合いを査定するということも，人間の育ちをとらえる観点の1つだということもできます。
　一方，人間の成長や発達について研究した先人たちのなかには，人間の育ちをこのように線形的にとらえる見方に批判的な見解を示すものもありました。ロシアの心理学者（発達援助学者）ヴィゴツキー（L. S. Vygotsky, 1896-1934 年）もその一人です。
　たとえば，ヴィゴツキーが構想していた育ちのコンセプトは，寄せては返す

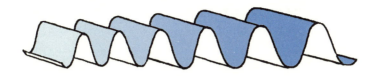

タイダル・ウェーブのイメージ

波（タイダル・ウェーブ：tidal wave）（ヴィゴツキー，2001）のようなものでした。たしかに，人間の育ちは，前進したかと思えば後ずさりをはじめ，立ち上がったかと思えばしゃがみ込み，できるようになったかと思えばできなくなり，わかるようになったと思えばわからなくなり，自分がみえはじめたかと思えば再び自分を見失い，というように，非線形的な反復を経て遂行されています。

子どもの育ちと発達には，後ずさりやしゃがみ込み，わからなさやできなさという瞬間が必ず伴います。揺れながら身を固め，後ずさりしつつ前に進み，しゃがみ込みつつ立ち上がり，わからなさやできなさを受け容れつつ諸能力を獲得していくのが人間です。ヴィゴツキーが私淑していたスピノザの情動理論がそうであるように，身体で被る（受動）体験から，人間らしい能動性が芽吹いてくると考えると，人間が抱える「弱さ」は，子どもの育ちのもっとも重要な契機の1つだといえます。

発達の最近接領域

人間は，このように寄せては返す波のように育っていますが，それをとらえる視点として，ヴィゴツキーは，発達の最近接領域（zone of proximal development：ZPD）に注目します。

ヴィゴツキーは，人間の成熟した機能だけでなく，成熟しつつある機能に，つまり，すでに育っている部分だけでなく，いま，まさに育とうとしている部分にこそ着目すべきだ述べています。ヴィゴツキーは，その主著である『思考と言語』のなかで，次のように述べています。

「自分の果樹園の状態を明らかにしようと思う園丁が，成熟した，実を結んでいるりんごの木だけでそれを評価しようと考えるのは間違っているのと同じ

ように，心理学者も，発達状態を評価するときには，成熟した機能だけでなく，成熟しつつある機能を，現下の水準だけでなく，発達の最近接領域を考慮しなければならない。」 （ヴィゴツキー，2001，298頁）

　たとえば，アサガオの観察をするときに，私たちは，何を見ているでしょうか。大きな花でしょうか。太い茎でしょうか。ひらいた葉でしょうか。それとも土のなかにあるはずの根でしょうか。ヴィゴツキーだったら，大切なものを見逃しているというでしょう。それは，蔓の先端の風に吹かれてモゾモゾと揺れている部分です。この蔓の先端部分は，もっとも細胞分裂の激しい部分で，まさにアサガオという生命体が環境にふれながら「育ちつつある」部分です。
　一方，ヴィゴツキーは，子どもの文化的発達におけるすべての機能は，二度，2つの局面に登場すると考えました。最初は，社会的局面に立ち現われ，その後に心理的局面に内化されると考えたのです。すなわち，最初は，精神間的カテゴリーとして人びとの間に形づくられたものが，後に，精神内的カテゴリーに移行したものとして登場する，とも述べています。つまり，人間の育ちをとらえるためには，個人＝個体としてある姿（be）と，仲間＝共同のなかでありうる姿（can be）との間でなりゆく姿（becoming）をとらえなければならない，と指摘したのです。
　しかし，ただ，他者とかかわり合えば，発達の最近接領域が生まれるというほど単純であるわけではありません。ヴィゴツキーは，発達の最近接領域を子どもの情動体験を媒介とした〈揺れを伴う自己運動〉として描いていました。子どもの実感や生活感情にふれて，子ども自身が「あ，私の心が動いた！」という意味創造が内面で起こらなければ，どれほど（大人からみて）よい教育的な働きかけがあっても，子どもの育ちは実現しないと，ヴィゴツキーは考えていたのです。
　育ちつつある存在として子どもという人間をみるためには，子どもが抱える「弱さ」や立ちどまりに寄り添い，人間として対等で信頼のおけるピア・パートナーとして働きかけながら，その子どもの発達の最近接領域（育ちつつある萌芽）をみつける大人の〈視線〉の豊かさと鋭さと温かさが求められています。

Column ❺　保幼小接続期のカリキュラム開発

　ある小学校1年生の子どもが，帰宅すると不満そうにこうつぶやきました。「学校にはふわふわしたものが何にもないんだよな……」と。それを聞いたご両親は，なかなか意味深いつぶやきだと思ったそうです。この子が，幼稚園（こども園）にはあったのに，小学校ではなくなってしまったと感じていた「ふわふわしたもの」とは，一体どのようなものだったのでしょうか。

　日本で保幼小の接続が問われた背景には，就学前後の著しい環境の変化に苦しむ子どもからの援助要請があったと考えられています。近年，小学校になじめず，不適応行動を繰り返す「小1プロブレム」の問題は，就学前の子どもの「育ち」の問題というよりは，就学前に子どもが学ぶ環境と，就学後に子どもが学ぶ環境とのカリキュラム・ギャップとして再考されるようになってきました。

　たしかに，教科（学問・文化）の論理で考えると，就学前の学びや生活のカリキュラムは，子どもの経験に基づいて設計される部分が多くあります。就学後のカリキュラムも，子どもの一般的な育ち（発達段階等）は配慮していますが，基本的には学問・文化の系統性の論理に基づいて設計されています。この違いが，保幼（こども園等）の生活と，小学校での生活の間に大きな断絶を生む1つの要因だと考えることもできます。

　しかし，幼児教育と小学校教育の間に，滑らかで切れ目のない移行を支援するためには，就学前に，教科等を基盤にしたカリキュラムの萌芽形態となる学びを経験させることは可能です。もちろん，就学後に，生活経験を基盤にしたカリキュラムの発展系として，主体的・対話的で深い学び（探究的な学び）をデザインすることも可能です。

　教育学は，子どもの存在論的な「いのち」そのものに一貫して寄り添うことを大切に考えます。教育の使命は，一人ひとりの子どもを唯一の存在そのものとして尊重し，その「強さ」も「弱さ」もまるごと承認し，その育ちに寄り添いつつ励ましていくことです。教育学では，保幼（こども園）と小学校の「架け橋」となる接続期カリキュラムにおいても，関係論的な存在論（ontology）に裏づけられた探究的な学びを重視します。

　保幼小接続期のカリキュラム開発の課題は，小学校で古くから遂行されている学びのスタイルを薄めて，幼児期の学びの様式に埋め込むことではないはずです。むしろ，幼児期の遊びという活動そのものに眠り込んでいる探究的な学びの萌芽を発掘し，形式化しがちな小学校の学びの様式を，根本から問い直していくことが重要です。

非認知能力の育ち

子どもの育ちのなかには、目標をもってがんばって、それを粘り強く達成していく能力の育ちもあります。心理学では、これを非認知能力（non-cognitive ability）の1つとして位置づける研究があります（小塩、2021）。GRIT（グリット＝「やり抜く力」）の研究もその1つです。たしかに、願いをもって生きること、それを叶えるために見通しをもって生きること、その達成を喜び合って生きることは、人間の幸せ（ウェルビーイング：well-being）（⇨Column❶）の1つの大切な契機になります。

しかし、子どもの育ちの場面では、目標やめあてをもって努力を重ねても、それが容易に叶わないこともあります。がんばれば何とかなると思っていても、結果としてどうにもならない経験をすることもあります。むしろ、子どもが、自分の意志では操作できない外的環境変化（思ってもいなかったこと）に心を揺さぶられ、その場に思わず立ち尽くさざるをえない経験のなかで、子どもは育っているのかもしれません。

そもそも教育（education）の原義は、子どもの尊厳ある人生をケアしながら、文化や社会への参加を支援することでした（⇨第1章）。教育という概念には「弱さ」への慈しみが内包されています。その意味では「弱さ」ゆえに、人びとがつながり合い、多様な存在をまるごと慈しみ合うセルフ・コンパッション（self-compassion）の能力の育ちを支援することも、教育の大切な役割の1つだと考えられます。

SUMMARY

　子どもと大人の関係論という視点でみれば、子どもを理解するために必要なのは、私たちとは独立した他者としての子どもの生活世界に分け入り、そこに共感的に寄り添うことです。そして、子どもと日々新たに出会い直しながら、大人が子どものストーリーを理解する枠組みを絶えず再構築していくことです。

　教育に関するあらゆる学問は、人間とは何か、人間が育つとはどういう意味か、その育ちを援助するとはどういうことか、という根源的な問いを「導きの糸」にし

ています。教育学は，ある歴史，社会，文化に制約された共同体のなかを懸命に生きる子どもへの理解を深めながら，このような問いを探究し続けているのです。

さらに学びたい人のために　　　　　　　　　　　　　Bookguide

秋田喜代美・松本理寿輝監修『保育の質を高めるドキュメンテーション――園の物語りの探究』中央法規出版，2021年

川田学『保育的発達論のはじまり――個人を尊重しつつ，「つながり」を育むいとなみへ』ひとなる書房，2019年。

汐見稔幸『教えから学びへ――教育にとって一番大切なこと』河出書房新社，2021年

庄井良信編『生徒指導』学文社，近刊

引用・参考文献　　　　　　　　　　　　　　　　　Reference

アリエス，P./杉山光信・杉山恵美子訳（1980）『〈子供〉の誕生――アンシァン・レジーム期の子供と家族生活』みすず書房

ヴァール，F. B. M. de／柴田裕之訳（2010）『共感の時代へ――動物行動学が教えてくれること』紀伊國屋書店

ヴィゴツキー，L. S.／柴田義松訳（2001）『思考と言語』新訳版，新読社

小塩真司編著『非認知能力――概念・測定と教育の可能性』北大路書房，2021年

柴田純（2012）『日本幼児史――子どもへのまなざし』吉川弘文館

中野光・志村鏡一郎編（1978）『教育思想史』有斐閣新書

浜田寿美男（2009）『子ども学序説――変わる子ども，変わらぬ子ども』岩波書店

ブルーナー，J. S.／岡本夏木・仲渡一美・吉村啓子訳（2016）『意味の復権――フォークサイコロジーに向けて』新装版，ミネルヴァ書房

ペスタロッチー，J. H.／長田新訳（1993）『隠者の夕暮・シュタンツだより』改版，岩波文庫

ポストマン，N.／小柴一訳（2001）『子どもはもういない』改訂版，新樹社

本田和子（1992）『異文化としての子ども』ちくま学芸文庫

八木重吉（1958）『定本・八木重吉詩集』彌生書房（新装版，1993）

ルソー，J. J.／今野一雄訳（1962）『エミール』上，岩波文庫（ワイド版，1994）

Polkinghorne, D. E. (1988) *Narrative knowing and the human sciences.* State University of New York Press.

CHAPTER 第4章

教え方は試行錯誤されてきた
教育方法の歴史

INTRODUCTION

あなたは，だれかに何かを教えようとして困ったことはありませんか。熱心に教えようとしても，そのメッセージが学ぶ人の心に届かない。ていねいに教えているはずなのに，学ぶ人のやる気（学習意欲）がいっこうに高まらない。そのようなとき，私たちは，他者に何かを教えるという営みの難しさと奥深さに気づくのだと思います。

人類の歴史のなかで，教えるという営みの原風景はどのようなものだったのでしょうか。先行する世代の人びとが，未来を担う世代の人びとに何かを教えるという営みはどのように意識化され，それぞれの時代背景のなかで，どのように模索・継承されてきたのでしょうか。この章では，これらの問いを教育方法の歴史をたどりながら探究してみたいと思います。

KEYWORDS

教育的タクト　シャーマニズム　物語共同体　ストーリーテリング　ソクラテス　問答法　魂の助産術　対話術　ロック　タブラ・ラーサ　教育万能論　リベラル・アーツ　コメニウス　パンソフィア　合文化の原則　直観教授　ヘルバルト　教育的教授　5段階教授法　一斉教授　教え込み　ルソー　消極教育　合自然の原則　フレーベル　新教育運動　教科中心カリキュラム　経験中心カリキュラム　陶冶　クルプスカヤ　生活と教育の結合　総合技術教育　生活綴方教育　生活教育　生活指導　探究

1　「教え方」の原点を探る

視点のコペルニクス的転換

　教育学を学んでいるあなたにとって，教えられる立場から教える立場への変化は，ある意味でコペルニクス的転換だといえるでしょう。黒板に向いていた人間が，黒板を背にして立つ人間になり，黒板を媒介に他者と学び合う人間になる。教職に就くと，このような立ち位置の大きな転換が求められます。

　このことは物理的な立ち位置の転換だけを意味しているのではありません。あなたが教える立場に立つということは，あなたは，もはや単なる文化の受け手ではなく，送り手にもなり，その媒介者（オーケストラの指揮者のような人）にもなるということです。

　文化の受け手が，文化の送り手になる（教える側になる）瞬間に，人間にある変化が起こります。まず，見える風景が変わります。背負う役割も変わります。送り手は，送るべき文化の内容を吟味し，受け手にわかるように──受け手の心に響くように──届けなければなりません。そして，ある文化の送り手と受け手とが，シンフォニーを奏でるようにその文化を吟味し，継承・発展させていくための教育的タクト（臨機応変の指揮）が求められるようになります。教えることの奥義はここにありそうです。

黒板に向く視線　　黒板を背にする視線　　黒板を媒介に学び合う視線

WORK ⑦

教え方のうまい教師のイメージとは？ あなたは教え方がうまい，と感じる人に出会ったことはありますか。なぜあなたはその人の教え方がうまいと感じたのでしょうか。下の例を参考に，その理由のマインド・マップをつくってみてください。そして，他の人とみせあってみてください。あなたが無意識に求めていた巧みな教育方法のイメージがみえてくるかもしれません。

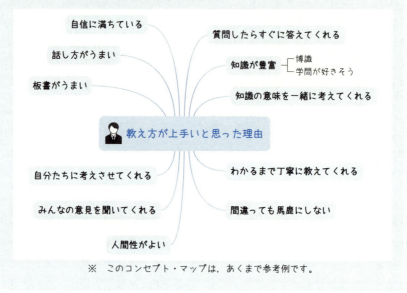

※　このコンセプト・マップは，あくまで参考例です。

ともに働き・ともに食べる

QUESTION
人間が人間に何かを教えるという営み（教授行為）とその方法（教育方法）は，初期の人類の歴史のなかで，どのように模索されてきたのでしょうか。

　古来，だれかに何かを教えるという営みは，先人たちの日常生活のなかに埋め込まれていました。古代における教授行為と教育方法は，何げない日常のなかで，経験をとおして模索され続けてきました。

　狩猟や農耕を基盤とした共同体が生まれはじめた時代，人間は，大人も子どもも，ともに狩りや農作業に参加しながら，その場の必要に応じて，だれかに

何かを教えてきました。狩りの仕方やその意味，農作業の仕方やその意味，生きることと死ぬことの意味，そのコミュニティに生きる人間として大切にすべき約束事（倫理）などが，実際の労働や食事の経験を分かち合うなかで，刻々に教えられていました。しつけ，稽古，見習いの原型が，このような原始的な実践共同体のなかで生まれました。

父と子

　原始共同体の社会では，他者に栄養を摂取させ，身体によいものを食べさせ，そのいのちを育むなかで，そのコミュニティの倫理や文化価値が教えられていったと考えられています。親しい人びとと食を分かち合いながら，その社会やコミュニティの文化も分かち合われていきました。古来，次世代の人間によいものを食べさせるということは，生物として摂食を支援するという意味だけではなく，栄養のある文化を味わうこと（appreciation）ができるように支援するという意味をもつものでもあったと考えられています。そうだとすれば，何げない日常における食の分かち合い（だれかと一緒に何かを食べるという行為）もまた，人間が人間に何かを教える営み（教授行為）とその方法の模索の原風景の1つだったといえるでしょう。

物語共同体

　人類学や宗教学では，古代のシャーマニズムのなかに，教授行為の原型があるという見方もあります（エリアーデ，2004）。共同体に暮らす民衆の声を聴き，人びとの苦難をわが身に引き受け，ときに変性意識を伴うトランス状態に入りながら，占い，祈り，神託を物語る人と，それに聴き入りながら，それぞれの人生の物語を編み直す人びとがつくり合う独特な場が，他者に何かを教えると

―――― note

★　今日の高等教育機関の教授（プロフェッサー）ということばの語源は，聴衆の面前でみずからの信仰をもって神託（神のお告げ：オラクル）を語る人という意味がありました。

ストーリーテラーの即興語り

いう行為の1つの原型になっているという考えもあります。

たとえば，民間伝承の語りを研究する文芸学では，ある社会やコミュニティに語り継がれてきた物語を自分のことばで語る人と，それを味わいながら能動的に聴く人びとが，物語共同体を構築し，そこで教えるという営みがはじまった，という考え方があります。

物語共同体では，苦悩を抱えた人びとのなかから，みずからの受苦的・情熱的な経験を，1つのストーリーとして語る人が生まれました。このようなストーリーテラーのなかから，やがて未来を予言しながら，民衆を指さし導く者（師傅または導師）が生まれ，人びとのいのちをケアし，その育ちを援助する役割を担うようになったのです。★

教育学でも，イーガン（Kierum Egan）のように人びとが大切にしてきた伝説や寓話などを自分のことばで物語る営み（ストーリーテリング）を，教えるという行為とその方法の省察にとって重要だと意味づける研究者もいます（Egan, 1986）。また，哲学者のベンヤミンは，「物語作者」（Erzähler）の尊厳は，自分の人生の全体を物語ることができるということであり，「物語作者――それは，自分の生の灯芯をみずからの物語の穏やかな炎で完全に燃焼し尽くすことのできる人間のことである」（ベンヤミン，1996）と述べています。

このように，古来，人びとは，ともに仕事をし，ともに食を分かち合い，ともに祈り合い，ともに人生のストーリーを語り合うという日常生活のなかで，そのコミュニティにとって大切なもの（文化価値）を教えるという行為を遂行し，その方法を模索し続けてきたのです。

note
★ 昔の人びとは，物語や言い伝えという形で，植物や動物についての知恵や，生きるという営みに関する叡知を伝え合ってきました。Lore（ローア）とは，伝統や寓話（アネクドート）によって得る知識のことですが，それがレーレン（lehren：教える）やレルネン（lernen：学ぶ），そしてラーニング（learning）の語源になっていることは，興味深いことです。

2 「教え方」を探究した人びと

> **QUESTION**
> では，教育の歴史のなかで，先人たちはどのように教え方（教育方法）を探索してきたのでしょうか。

問　答　法

　まず，古代ギリシャに，ソクラテス（紀元前469年頃-紀元前399年）の問答法（dialektikē technē）と呼ばれる教育方法をみて取ることができます。この問答法は，対話（ダイアローグ）をとおして問いかけること（他者に問いを生起させ，他者や自己の思索を深め続けること）を徹底して重視する方法でした。

　ソクラテスの問答法は，魂の助産術と呼ばれることもあります。対話のなかで，学習者がみずからの思い込みや偏見に気づけるように導くこと，対話のなかで学習者自身が，問うべき問いの端緒を発見できるように援助すること，対話のなかで，学習者の思索がいっそう深まるように誘うことなど，ソクラテスの問答法（対話術）からは，今日もなおその教育的意義が再発見できます。

　また，ソクラテスの弟子でもあったプラトン（紀元前427年-紀元前347年）は，『メノン』のなかで，青年メノンとソクラテスを対話させ，「徳は教えられうるか」「徳とはそもそもなんであるか」という根源的な問いを深め続けています。徳（アレテー）という人間形成に深く関与する教育の内容と方法が，対話形式で深く問い直され続けているのです。

タブラ・ラーサ

　近代市民社会への移行期になると，次世代を担う子どもに先行する世代の価値を伝授する（教える）何らかの指南書が必要だと感じはじめる人びとが生まれはじめました。イギリスの思想家であるロック（John Locke, 1632-1704年）の『教育論』（1693年）は，当時の貴族や経済的に裕福な人びとの家庭教育書とし

て読まれました。ロックは，白紙（タブラ・ラーサ：tabula rasa：蠟石板[★]）のような状態で生まれてくる子どもの魂に，経験をとおして観念や習慣を形成し，健康な精神と身体を鍛練し，理性を磨くことによって，自立した立派な紳士を形成することを目的とした教育論を説きました。

はじめは何も書かれていないまっさらなタブラ・ラーサの上に，教えるべき文化価値が，経験をとおして書き込まれていくというロックの考え方は，どの子どもにも発達の可能性があることを示唆していますが，経験さえあれば，教育によってどんな子どもも思いのままに育てられるという教育万能論に陥る危険性もはらんでいました。

WORK⑧

子どもの教育可能性をどうとらえればよいのか？ あなたは，子どもの精神をタブラ・ラーサに見立てて行われる教育について賛成ですか，それとも反対ですか。その理由も明らかにして話し合ってみてください。

リベラル・アーツ

この時代，有産階級の子どもたちの多くは，伝統あるラテン語学校から大学へと進学していきました。そのエリート教育の過程では，当時，実践的な知識や学問の基礎となると考えられていた，文法，修辞学，論理学，算術，幾何，天文学，音楽のような教養（リベラル・アーツ[★]）が教えられていました。学校や家庭において，次世代に継承すべき教育内容の精選は進みましたが，その教え方（教育方法）は，きわめて権威的で，管理的な色彩が強いものだったと考えられています。次の挿絵は，中世のラテン語学校の風景に関する想像図ですが，教師の脇には，体罰に用いる「鞭(むち)」が置いてあります（ハリスン，1996）。

民衆のなかには，成立しはじめた近代の学校制度に，教育を受ける機会を見いだそうとする者もありましたが，それは，当時の社会状況のなかでは，決し

---
note
★ "tabula rasa"の原義はラテン語で「磨いた板」という意味です。タブラ・ラーサの思想は古く，プラトンやアリストテレスの著作にもみられ，教えとその方法の1つの原型となるイメージになっています。
★ 当時，これらは自由7科（セブン・リベラル・アーツ）と呼ばれ，哲学がこれらを統治すると考えられていました。リベラル・アーツの原義は「人を自由にする学問」という意味です。特にヨーロッパの大学では，中世以降，リベラル・アーツは，教授内容の基本的要素とみなされてきました。

て容易なことではありませんでした。もちろんイギリスのデイム・スクール（おかみさん学校）のような私塾で，文字の読み書きの基礎を学びはじめられる子どももいましたが，すべての社会階層の子どもにそのような機会が提供されていたわけではありませんでした。経済的・教育的な意味で貧困な状況に置かれた子どもの多くは，十分な教育を受ける機会もなく，貧困な生活環境を生きざるをえない大人になりました。

中世のラテン語学校（鞭が置いてある）
（出所）ハリスン，1996をもとに作成。

〈合文化〉の原則（Ⅰ）──コメニウスの試み

17世紀初頭，教育学者のコメニウス（Johannes A. Comenius, 1592-1670年）は，「あらゆる人に，あらゆる事柄を（全般的に）教授する普遍的な技法を提示する」ことをめざして『大教授学』（*Didactica Magna*）（コメニュウス，1962）を著しました。「あらゆる人に」とは，まさにすべての子どもが，国籍，階層，性別，経済力の有無（豊かか貧しいか）等において決して差別されることなく，という意味です。また，「あらゆる事柄を（全般的に）教授する」とは，その時代において万人に必須共通で普遍的知識の体系であるパンソフィア（汎知学）を学ぶ機会を，単線型の学校制度（⇨第6章）で，その目的，順序，体系を明確にしながら教え授けるという意味でした。そのための「普遍的な技法」とは，わずかな労力で，あらゆる子どもが，愉快に，着実に学ぶことができるように教える方法でした。

コメニウスは，戦争の絶えない当時の社会状況を深く憂慮し，平和に生きるために必要不可欠な普遍的な知の体系としてのパンソフィアを，すべての子どもに教えたいと切望していました。『世界図絵』（*Orbis Sensualium Pictus*）（コメニウス，1995）の冒頭で，コメニウスは，

「無知にとっての薬は学識です。それは学校で若人にもたらされるべきもの

『世界図絵』の具体例
(出所) コメニウス，1995をもとに作成。

です。したがって，真実の，完全な，明らかな，そして確実な学識であることが望まれるのです。」（コメニウス，1995, 11頁）

と書いています。コメニウスは，無知は，戦争の文化の温床であり，しっかりと身についた学識は，「平和の文化」の基盤だと考えていたのです。

コメニウスは，教師が教えたいことをしっかりともち，すべての子どもが，楽しく，手応えをもって学べるような教育方法を探求していました。これは教え方における「合文化の原則」のもっとも基本的な様式だったといえるでしょう。一般に，教え方における合文化の原則とは，ある歴史的・社会的状況で次世代に伝達すべき文化価値（教える内容）を明らかにし，子どもに必要とされる文化としてそれを整序して，子どもの自己活動に呼びかける教育方法の原則です。そのためには，まず，批判・廃棄すべき文化と継承・発展すべき文化が吟味されなければなりません。

コメニウスは，これを子どもに，確実に，楽しく，わかりやすく教えるための重要なメディアとして『世界図絵』を編纂しました。これは，上の挿絵のように，子どもが事物を，いきいきとイメージしながら学べるように編纂された百科事典（今日の教科書の元型）のようなものでした。これは，人類が平和に生きるための普遍的知識のアーカイブのようなもので，子どもの直観に訴える力をもつものでした。ことばだけでなく感覚に呼びかけながら知識を教えていく方法を，一般に直観教授といいますが，コメニウスの『世界図絵』は，その方法を先駆的に開拓したものでした。

〈合文化〉の原則（Ⅱ）——ヘルバルトの試み

合文化の原則を，理論的に探究しようと努力した先人たちもいました。ドイツの教育学者ヘルバルト（Johann F. Herbart, 1776-1841年）は，『一般教育学』

(ヘルバルト，1960）において，教育の目的を倫理学に，教育の方法を心理学に求め，教育学を体系化しようとしました。彼は，子どもに教える文化価値を倫理学で吟味し，それを子どもによりよく教える方法を心理学（子どもの表象形成の論理や子どもの知的学習の論理）に即して検討しようとしました。

　ヘルバルトは，教育の方法を，教授（Unterricht）と訓練（Zucht）と管理（Regierung）という3つの相でとらえました。これだけをみると，大人が子どもを一方的に統制する方法のようにみえますが，ヘルバルトが大切にしたのは，教育的教授（Erziehender Unterricht：人間としての教養や人格の形成に深く結びつく授業）でした。ヘルバルトが模索した教育方法は，子ども自身がしっかりとした道徳的品性（人格）と，知的に多面的な興味を陶冶（形成）できるような教授方法だったのです。

　そう考えると，ヘルバルトが定式化した，「専心」（対象に没頭して深く入り込むこと）と「致思」（得られた表象を総合して意味を発見すること）という子どもの思考の流れに即した教え方や，〈明瞭・連合・系統・方法〉という4段階教授法や，その後，ヘルバルト学派のラインによって洗練された〈予備・提示・比較・総括・応用〉という5段階教授法も，決して子どもの学びの論理を無視したものではなく，子どもの思考における「自然」に即した合文化の法則の探究だったといえるでしょう。

〈合自然〉の原則（Ⅰ）──ルソーの試み

　封建社会から近代市民社会への移行に伴って，多くの人に多くのことを一斉に効率よく教えるシステム（一斉教授）が必要になりました。学級という教授組織も導入されました。近代学校の成立によって，それぞれの階級や社会階層のニーズを背景に，教える内容や教える方法の体系性・順次性が絶えず吟味されるようになりました。「合文化」の原則は，そのような社会状況のなかで探求されていきました。これが近代における教え方（教育方法）に関する研究の1つの重要なルーツとなりました。

　ただし，「合文化」の原則は，それぞれの時代における既存の文化を伝達することを強く意識しすぎると，一方的な教え込み（indoctrination）に転化してしまう可能性もありました。この危険に警鐘を鳴らしたのがルソー（⇨第1章）

でした。ルソーは,『エミール』のなかで次のように述べています。

> 「万物をつくる者の手を離れるときすべてはよいものであるが,人間の手に移るとすべてが悪くなる。……こんにちのような状態にあっては,生まれたときから他の人びとのなかにほうりだされている人間は,だれよりもゆがんだ人間になるだろう。……わたしたちを押さえつけているいっさいの社会制度がその人の自然をしめころし,そのかわりに,なんにももたらさないことになるだろう。」
> (ルソー,1962,27頁)

既存の文化（当時の貴族文化）を十分に吟味することなく伝達する教育への辛辣な批判を,この表現から読み取ることができます。子どもに著しく悪い影響を与えかねない既存の文化から子どもの自然（人間の本性にもとづくほんらいの育ち）を守るために,あえて積極的には教えないという教育方法を,ルソーは,消極教育（l'éducation négative）と呼びました。

ルソーの消極教育論は,子ども不在の教育論を根源的に批判するものでした。しかし,それは,大人は子どもに何も教えてはならない,という意味ではありません。ルソーの消極教育論は,子どもの自然（人間としての本性）に寄り添いながら,子どもと既存の文化とを出会わせ,子どもとともにそれを吟味し,新たな文化を創造し合うことができるような教え方を,むしろ意識的に探索しようとするものでした。このように,子どもの自然（本性）を理解し,そのかけがえのない人生に寄り添い,新たな文化の創造を希求する教育方法の原則を,「合自然」の原則といいます。

〈合自然〉の原則（Ⅱ）──「新教育運動」の試み

また,ルソーから多大な影響を受けたフレーベル（Friedrich W. A. Fröbel, 1782-1852年）は『人間の教育』のなかで,「教育,教授,および教訓は,根源的に,またその第一の根本特徴において,どうしても受動的,追随的（たんに防禦的,保護的）であるべきで,決して命令的,規定的,干渉的であってはならない」（フレーベル,1964,18頁）といい,次のように述べています。

> 「子どもたちから，学ぼうではないか。かれらの生命のかすかな警告にも，かれらの心情のひそかな要請にも，耳を傾けようではないか。子どもに生きようではないか。そうすれば，子どもたちの生命は，われわれに平和と悦びをもたらすであろう。そうすれば，われわれは賢明になり始めるであろう。いや賢明であり始めるであろう！」
>
> （フレーベル，1964，119頁）

20世紀初頭に世界中に広がった新教育運動も，「子どもからの教育」(Erziehung vom Kinde aus) や，「子どもを中心に」(Child-centered) という標語を掲げて，実践的な教育方法を「合自然」の原則から問い直していきました。

たとえばスウェーデンの教育学者エレン・ケイ（⇨第1章）は，20世紀は，子どもが中心となる世紀だとして，『児童の世紀』という書物を著し，次のように述べています。

> 「子どもは平和のうちに放任し，直接介入はできるだけ少なくし，乱暴で不純な印象を与えることだけは避けるように努力せよ！ あらゆる智慧と，あらゆる精力を，真実に単純に赤裸々に，自身の人格と生活の上に傾注して，子どものよい教育者となれ！」
>
> （ケイ，1979，92頁）

また，デューイ（⇨第7章）は，『学校と社会』のなかで，次のように述べています。

> 「いまやわれわれの教育に到来しつつある変革は，重力の中心の移動である。それはコペルニクスによって天体の中心が地球から太陽に移されたときと同様の変革であり革命である。このたびは子どもが太陽となり，その周囲を教育の諸々のいとなみが回転する。子どもが中心であり，この中心のまわりに諸々のいとなみが組織される。」
>
> （デューイ，1957，49-50頁）

もとより，ケイやデューイのこの宣言にも似た表現は，教育が成り立つためには，何でも子どもの自由に任せておけばよいとか，教師は何もすべきではない（してはならない）というような単純な意味ではないことにも留意しておくことが必要です。

子どもが，教師とは独立した人格として，尊厳あるいのちを生きる人間であ

り，さまざまな人とのかかわり合いのなかで，かけがえのない自己を形成していく存在だとすれば，そのような子どもの自発性や自主性にどのように働きかければよいのか。自分にとって他者である子どもの自己活動をどのように呼び起こせばよいのか。教師や大人にとって必然的に生じるこの問いこそが，教育方法における「合自然」の原則の現代的な問いなのです。

生活（ライフ）と教育の結合

「合文化」の原則から，すべての子どもに教えたいことを（子どもに）わかりやすく教えたい，と願ったのがコメニウスでした。「合自然」の原則に立って，教えたいことは子どもの人間としての自然（本性）と育ちにふさわしい形で教えなければならない，と主張したのがルソーでした。前者は，既存の知識体系や教科内容を重視した教え方（教科中心カリキュラムの開発）として，後者は，子どもの育ちや発達にふさわしい教え方（経験中心カリキュラムの開発）として探究され続けています。この2つの原則を，より高い次元で止揚することをめざしたのが，近代教授学では，ペスタロッチ（⇨第3章），フレーベル，ヘルバルトらであり，現代教授学では，デューイや，ヴィゴツキーから影響を受けた研究者たち（⇨第3章）でした。

もとより，教え方における「合文化」の原則と「合自然」の原則は，互いに相容れないものではありません。2つの原則は，実際には，かけがえのない子どものライフ（生命・生活・人生：生きるという営みの総体）の質的発展をめざして止揚・統合されるべき2つの機軸として機能しています。

たとえば，ペスタロッチが，晩年の著作のなかで「生活が陶冶する」("Das Leben bildet")といったように，子どもはその生活のなかで，生活まるごとをとおして育ちゆく存在です。そうだとすれば，子どもに何かを教えるという営みも，子どもの生活の現実（その時代の政治・経済・社会状況や生活共同体の現実）や，その生活の実感にふれるものでなければ，決して豊かには成立しないということになります。

デューイが子どもの生活経験に根ざしたカリキュラムの構築を追求し，クルプスカヤ（Nadezhda K. Krupskaya, 1869-1939年）が，「生活と教育の結合」という原則に立った総合技術教育（⇨Column❻）を探究したのも，社会に参入・参

> **Column ❻　クルプスカヤの総合技術教育**
>
> 　クルプスカヤが構想した総合技術教育は，特殊な生産労働のための準備教育ではありませんでした。新しい技術を創造するために全面的に発達した人間，技術革新が早く，変化の激しい生産労働システムで働くために必要な一般的能力（general ability）を学び続けられる人間の養成が，総合技術教育（ポリテフニズム）の重要な理念の1つでした。総合技術教育は，何か特別の教科で職業訓練をしようとしたのではなく，すべての教科に浸透し，あらゆる教科どうしを相互に結合させて，「生活と教育との結合」をはかるものでした。総合技術教育は，これらのことをとおして民主的社会の主権者を形成することを目的としていたのです（クループスカヤ，1954）。

加しつつ成長する「生活者としての子ども」を教育することを大切にしようとしたからでした。子どもを生活者としてとらえ，実感のある生活が人を育むという思想は，日本の教育にも多くの影響を与えました。生活綴方教育，生活教育，生活指導に関する研究と実践をはじめ，生活経験カリキュラム，生活単元学習，生活科・総合的な学習（探究）の時間にもその思想と方法は脈々と受け継がれています。

SUMMARY

　教えるという営みの原点は，ともに働き，ともに食べ，ともに語り合うという場の共有でした。それは，ペスタロッチの「居間の教育」（⇨第3章）のように，喜びも悲しみも共有しながらケアし合う場で営まれていました。教えることの困難に遭遇したとき，このような原点（原風景）に帰りながらみずからの実践を問い直すと，未来へのとびらがみえてくるかもしれません。

　教え方を模索した先人たちの足跡をふりかえると，ソクラテスの「問答法」のように時を越えて普遍的な魅力をもつ原則に出会い直すことがあります。また，教育学の古典となっている先人たちの多くが，その時代や社会背景のなかで，子どものリアルな生活現実に深く心を砕きながら，教えの場（家庭・地域・学校）で，「合文化」の原則と「合自然」の原則とを止揚・統一するための苦闘を繰り返してきた

ことに気づきます。

　フランスの詩人のルイ・アラゴンは，「教えるとは希望を語ること，学ぶとは誠実を胸に刻むこと」という美しい詩句を残しました。子どもたちとともに，いま（現在）に立ちどまり，過去を深く心に刻みながら，ともに未来を構想し合う営みのなかでこそ，真の意味で，「教え方」が開発されていくのではないでしょうか。

さらに学びたい人のために　Bookguide

佐藤学『学びの共同体の創造――探究と協同へ』小学館，2021年
柴田義松・山﨑準二編『教育の方法と技術』第2版，学文社，2014年
キーパー，H・吉田成章編『教授学と心理学との対話――これからの授業論入門』溪水社，2016年
奈須正裕『個別最適な学びと協働的な学び』東洋館出版社，2021年
日本教育方法学会編『教育方法学研究ハンドブック』学文社，2014年
湯浅恭正・福田敦志編著『子どもとつくる教育方法の展開』ミネルヴァ書房，2021年
吉本均『教室の人間学――「教える」ことの知と技術』明治図書出版，1994年

引用・参考文献　Reference

エリアーデ，M./堀一郎訳（2004）『シャーマニズム』上・下，ちくま学芸文庫
クループスカヤ，N.K./勝田昌二訳（1954）『国民教育と民主主義』岩波文庫
ケイ，E./小野寺信・小野寺百合子訳（1979）『児童の世紀』冨山房百科文庫
コメニウス，J.A./井ノ口淳三訳（1995）『世界図絵』平凡社
コメニュウス，J.A./鈴木秀勇訳（1962）『大教授学』1・2，明治図書出版
デューイ，J./宮原誠一訳（1957）『学校と社会』岩波文庫（改版，1983）
ハリスン，M./藤森和子訳（1996）『こどもの歴史』法政大学出版局
フレーベル，F./荒井武訳（1964）『人間の教育』上，岩波文庫
ヘルバルト，J.F./三枝孝弘訳（1960）『一般教育学』明治図書
ベンヤミン，W./浅井健二郎編訳（1996）「物語作者――ニコライ・レスコフの作品についての考察」『ベンヤミン・コレクション〈2〉エッセイの思想』ちくま学芸文庫
ルソー，J.J./今野一雄訳（1962）『エミール』上，岩波文庫（ワイド版，1994）
ロック，J./服部知文訳（1967）『教育に関する考察』岩波文庫
Egan, K. (1986) *Teaching as story telling: An alternative approach to teaching and curriculum in the elementary school*. University of Chicago Press.

CHAPTER

第 **5** 章

教育を受ける権利

INTRODUCTION

あなたは,「義務教育」ということばの意味について考えてみたことがあるでしょうか。子どもは学校へ通って教育を受け,きちんと勉強しなくてはならないという意味でしょうか。

義務教育の意味は,戦前の教育と戦後の教育ではまったく違ったものになりました。この章では,この義務教育の意味の転換をもたらした戦後教育の基本理念である「教育を受ける権利」と,現在の教育を点検し,これからの教育を考えるうえで重要な視点を提供してくれる「子どもの権利」について学びましょう。

KEYWORDS

「教育ニ関スル勅語」(教育勅語)　日本国憲法　旧教育基本法　教育を受ける権利　ルソー　『エミール』　コンドルセ　公教育　知育　日本教員組合啓明会　アメリカ教育使節団　教育刷新委員会　教育の機会均等　就学援助　高校授業料無償化　国際人権規約　幼児教育の無償化　高等教育修学支援新制度　特別な教育的ニーズ　インクルーシブ(包摂的)教育　特別支援教育　障害者基本法　障害者の権利に関する条約　子どもの権利に関するジュネーブ宣言　子どもの権利条約(児童の権利に関する条約)　国連・子どもの権利委員会　こども基本法　こども家庭庁

1 義務教育の転換と教育を受ける権利

> **QUESTION**
> 私たちにとって「義務教育」とは，だれの，だれに対する，どのような義務を意味しているのでしょうか。

教育勅語から教育基本法へ

日本では，明治時代のはじめに近代的な学校制度がつくられて以来，教育を受けることは臣民（国民）の義務とされていました。しかし，日本が第2次世界大戦（アジア・太平洋戦争）に敗れて，国家再建の道を歩み出すなかで，義務教育の意味も，「子どもには教育を受ける権利があり，それを充足する義務を親（保護者）が中心となって，社会全体で担わなくてはならない」という内容へと180度転換されました。

戦後教育の出発点には，大日本帝国憲法のもとで天皇を中心とする国民統合と工業化・産業化による国家の繁栄が教育の究極的な目的とされたことへの反省がありました。明治政府の教育方針は，1890年10月30日に発表された「教育ニ関スル勅語」（教育勅語）に示されていました。これは法律ではなく，天皇が臣民（国民）に対して直接語りかけるという形式をとるものでした。その内容は，国家の創始者を祖先とし，道徳の樹立者である天皇に対する臣民の忠と父母への孝が「国体の精華」であり「教育の淵源」であると述べるとともに，兄弟姉妹に対する友愛など12の徳目を説くものでした。

大日本帝国憲法のもとでは，教育を受けることは納税，兵役と並んで，天皇制国家に対する臣民の義務とされていました。国民道徳の形成に重きを置いた教育はやがて軍国主義的な色彩を強めるようになり，国民をあげての戦争遂行へと突き進む原動力となりました。その結果，多くの尊い生命と貴重な文化，財産が失われたことに対する反省のうえに立ち，戦後，日本国憲法（1946年11月3日公布，1947年5月3日施行）のもとで教育再建がめざされたのです。

日本国憲法は，国民主権，平和主義，そして基本的人権の尊重を新しい国家建設の原則としました。教育を受けることも国民の基本的人権の1つとして数え上げられたのですが，同時に教育には戦後の国家・社会再建の礎としての重要な役割が与えられました。「教育の憲法」と称された旧教育基本法★（1947年3月31日公布・施行）の前文には，教育の力による新たな国家・社会建設への決意が次のように示されていました。

　　「われらは，さきに，日本国憲法を確定し，民主的で文化的な国家を建設して，世界の平和と人類の福祉に貢献しようとする決意を示した。この理想の実現は，根本において教育の力にまつべきものである。
　　われらは，個人の尊厳を重んじ，真理と平和を希求する人間の育成を期するとともに，普遍的にしてしかも個性ゆたかな文化の創造をめざす教育を普及徹底しなければならない。
　　ここに，日本国憲法の精神に則り，教育の目的を明示して，新しい日本の教育の基本を確立するため，この法律を制定する。」

　教育が国家・社会の担い手を育てるという考え方自体は，戦前から継続されたともいえます（⇨第2章）。しかし，めざす国家・社会像が転換されたことに合わせて，教育の目的も大きく変わりました。旧教育基本法は，「教育は，人格の完成をめざし，平和的な国家及び社会の形成者として，真理と正義を愛し，個人の価値をたつとび，勤労と責任を重んじ，自主的精神に充ちた心身ともに健康な国民の育成を期して行われなければならない」（1条）と宣言したのです。

教育を受ける権利

　日本国憲法は，「すべて国民は，……その能力に応じて，ひとしく教育を受ける権利を有する」（26条1項）と定めています。この教育を受ける権利はそれ自体として尊重されるべきことはいうまでもないことですが，さらに教育を受けることには他の基本的人権を実質的なものとするのに必要であるという意

---------- note

★　1947年3月31日に公布・施行された教育基本法は，2006年12月に全面改正されました。そのため，前者を旧教育基本法あるいは1947年教育基本法と呼ぶことがあります。

味もあります。これはどういう意味でしょうか。

教育を受けてさまざまな知識・技術を身につけたり，情報を適切に用いて判断することができるようにならなければ，私たちは労働によって生活の糧を得たり，余暇を利用して文化に親しんだり，将来の政治と社会の在り方を選択して投票したりすることはできないでしょう。その意味で，日本国憲法は「健康で文化的な最低限度の生活を営む権利」（生存権）（25条1項）をすべての国民に保障していますが，その実現は教育にかかっているといえますし，幸福を追求する権利や参政権も教育によってはじめて享受できるようになるのです。

このように，私たちは教育をとおして人間らしく生きる諸能力を身につけるのであり，したがって教育を受けることはすべての国民の権利として認められなくてはなりません。この考え方に大きな影響を及ぼした人物にフランスの啓蒙思想家ルソー（⇨第1,3,4章）がいます。ルソーは，1762年に出版した『エミール』でこう書き記しています。

> 「わたしたちは弱い者として生まれる。わたしたちには力が必要だ。わたしたちはなにももたずに生まれる。わたしたちには判断力が必要だ。生まれたときわたしたちがもってなかったもので，大人になって必要となるものは，すべて教育によってあたえられる。」
> 　　　　　　　　　　　　　　　　　　　　　　（ルソー，1962, 29頁）

同書の序文で，ルソーは「人は子どもというものを知らない」とも書いています。これは，子どもを大人のミニチュアとしてとらえるべきではなく，子ども時代には独自の意義があるのだという主張です。そのため，『エミール』は，「子どもの発見」の書とも呼ばれています。

また，ルソーは，「弱い者」として生まれる人間にとっていかに教育が重要であるかを唱えるだけでなく，現在の社会からの要求に合わせて子どもを教育することがいかに問題の多いことであるかを指摘しました。教育は子どもが生来もっている自然性を尊重して行われるべきであり，そのことが社会の豊かな発展にもつながるのだと考えたのです。

ルソーの思想は，絶対主義的な国家権威からの人間の解放と平等の実現を求めたアメリカの独立戦争（1775年）やフランス革命（1789年）の思想的，精神的支柱となりました。そして，市民革命期には，教育を受ける権利を保障するための仕組みを国家が整備すべきであるという考え方も現れました。その1つ，フランス革命期に活躍した思想家・政治家コンドルセ（Condorcet，1743-94年）の公教育制度構想は，国家が国民の教育を受ける権利を保障すべきであるとしつつ，政治権力による公教育への介入を否定しました。それは価値や宗教や道徳に関する教育は，家庭と教会にゆだねられるべきものであると考えたからですが，同時に知育を中心とする教育を古い世代を乗り越える新しい世代の権利としてとらえていたからです。古い世代の代表である政治権力が教育を統制していては，新しいよりよい社会は生まれないからです。

戦後教育改革

　日本国憲法は，このような外国の市民革命をはじめとする，人類による多年の自由と基本的人権を獲得するための努力の成果を確認し（97条），さらに発展させる努力を約束しました。ただし，戦後日本における民主主義と平和主義の採用は，こうした外国の思想や歴史の影響だけから行われたのではありません。明治時代の自由民権運動や大正デモクラシーは，大日本国憲法のもとでも，人間の自由と尊厳の価値を訴えました。戦後教育改革における，臣民の義務としての教育から，国民の権利としての教育への転換も同様です。
　たとえば，1918年に埼玉県内の小学校教員を中心に設立された日本教員組合啓明会は，「教育改革の4綱領」を1920年に公表して，教育を受ける権利（学習権）を人間の権利の一部と定め，小学校から大学に至るまでの教育の機会均等とそのための教育費の公的負担の実現を要求しました。
　1946年3月，当時の占領軍（連合国軍総司令部：GHQ）による要請を受け，日本の教育の問題点を分析し，改革の方向性を示すことを目的として，アメリカ教育使節団が来日しました。この使節団はおよそ1カ月後に報告書をまとめ，教育の地方分権化や「個人の価値と尊厳の承認」の必要性を唱え，具体的な改革案を提示しました。この報告書は戦後教育改革に大きな影響を与えました。しかし，教育基本法の策定や学校制度の改革など，具体的な教育改革はアメリ

カ教育使節団に対応するために設置された日本側教育家委員会を引き継いで，1946年8月に内閣総理大臣の諮問機関として設置された教育刷新委員会のもとで進められました。その後，教育刷新委員会は，1949年に「教育刷新審議会」と名称変更されましたが，1952年6月に廃止されるまで，最初は安倍能成，後には南原繁を委員長として，自立的に「教育に関する重要事項の調査審議」を行い，内閣総理大臣に計35回の建議を行いました。

 ## 教育の機会均等

> **QUESTION**
> 国民の教育を受ける権利を定めた日本国憲法26条1項には，すべて国民は「その能力に応じて」「ひとしく」教育を受ける権利を有するとあります。この「その能力に応じて」と「ひとしく」は，互いに矛盾するようなことはないのでしょうか。それぞれの語句には，どのような意味があるのでしょうか。

教育の機会均等

まず，「その能力に応じて」という文言は，一人ひとりの子どもの個性に応じた手厚い教育を求めるものです。したがって，たとえば家庭の貧富の差や発達の早さの違いなどを理由として，ある人の能力は他人と比べて劣っていると決めつけ，差別的な教育をすることは決して許されません。

次に，「ひとしく」とは，教育を受ける権利がすべての国民にとって平等であることを強調することばです。国民が受ける教育の内容がまったく同じであるべきであるといっているわけではないことに注意しましょう。つまり，「その能力に応じて」と「ひとしく」を合わせると，一人ひとりの個性やもてる能力の可能性を最大限に伸ばせる教育を受ける権利が，だれに対しても平等に保障されなくてはならないということなのです。

日本国憲法は，国民の教育を受ける権利に続けて，「すべて国民は，……その保護する子女に普通教育を受けさせる義務を負ふ」（26条2項）と定めています。すでに述べたとおり，義務教育の義務とは，子どもが学校に通わなけれ

ばならない義務ではなく，子どもに教育を受けさせる保護者（親）の義務を意味しています。1項と続けて読めば，その義務は国家に対するものではなく，教育を受ける権利をもつ子どもに向けられていることがわかるでしょう。

しかし，保護者に対して，この義務を負わせるだけでは，教育を受ける権利が十分に保障されるとは限りません。たとえば，教育を受けるのにかかるお金を負担できない保護者がいるかもしれません。そこで，教育を受ける権利を保障するために，「義務教育は，これを無償とする」(26条2項)としています。

この教育に関する憲法の規定を受けて教育基本法は次のように定めています。

「第4条 ①すべて国民は，ひとしく，その能力に応じた教育を受ける機会を与えられなければならず，人種，信条，性別，社会的身分，経済的地位又は門地によって，教育上差別されない。
② 国及び地方公共団体は，障害のある者が，その障害の状態に応じ，十分な教育を受けられるよう，教育上必要な支援を講じなければならない。
③ 国及び地方公共団体は，能力があるにもかかわらず，経済的理由によって修学が困難な者に対して，奨学の措置を講じなければならない。」

教育を受ける権利は，人種，信条，性別，社会的身分，経済的地位，門地（家柄），障がいなど，いかなる理由であっても差別されてはなりません。これを，教育の機会均等の原則といいます。

教育の無償制

しかし，現実には，教育の機会均等が実現されていない状況がないとはいえません。教育の機会均等が実現されず，教育を受ける権利が保障されない原因の1つとして，経済的理由があげられます。

たしかに，高度経済成長期を経て，日本は経済的に豊かな国になったというイメージがあります。しかし，近年では長期にわたる経済の低迷と，全雇用者の約4割を占めるに至った非正規雇用労働者の増加などの労働環境の変化を原因とする貧困家庭の増大が深刻化しています（⇨第2章）。家庭の貧困は，義務教育ではない高校や大学への進学を断念したり，中途退学を余儀なくさせられる子どもの増加につながります。このことは大学進学率をみると，はっきりし

ます。年収 400 万円以下家庭の子どもは 31.4% しか 4 年制大学に進学していないのに対し，1000 万円以上家庭では 62.4% とおよそ 2 倍の格差があるのです（東京大学大学院教育学研究科大学経営・政策研究センター，2007）。

そこで，教育の無償制が大きな意味をもつことがわかるでしょう。ただし，日本では近年に至るまで，無償の範囲は基本的に国公立学校の義務教育の授業料とされてきました（教育基本法 5 条 4 項，学校教育法 6 条）。教科書以外の教材費，給食費，遠足や修学旅行などの費用は保護者が負担します。そのため，授業料を無償にしてもなお経済的負担が重くのしかかり，子どもが教育を受けることを妨げられないよう，国および地方公共団体には就学援助や奨学金などの奨学措置を講じることが求められているのです。

家庭の経済状況が就学・修学に及ぼす悪影響が広く認識されるようになった結果，2010 年 3 月には高校授業料無償化制度が成立し，2010 年度から公立高校での授業料徴収がなくなり，私立高校の生徒の家庭にも公立高校授業料とほぼ同額が就学支援金として支給されるようになりました。また，2012 年 9 月には，日本政府が 1979 年に国際人権規約（社会権規約）を批准して以来続けてきた中等教育および高等教育の漸進的無償化条項 13 条 2（b）(c) の留保撤回を決定しました。このことは，日本国が高校にとどまらず高等教育機関における授業料免除や奨学金を拡充するいっそうの努力を約束したことを意味します。実際に，スウェーデン，フィンランド，ノルウェー，デンマーク，ドイツのような国では，大学まで原則として授業料無償にしています。

2014 年 1 月に施行された「子どもの貧困対策の推進に関する法律」（2019 年改正）は，子どもの現在及び将来がその生まれ育った環境によって左右されることのないよう，環境整備と教育の機会均等をはかることを目的として掲げました。この法律に基づいて，2014 年 8 月に政府が決定した（旧）「子供の貧困対策に関する大綱」では，幼児教育の無償化が重点施策の 1 つとされ，2019 年 10 月に実施されるに至りました。また，2020 年 4 月には，高等教育の修学

---

note
★ 経済的理由により，就学が困難な小学生と中学生の保護者に対して，学用品費，修学旅行費，給食費などを市町村が援助する制度です。生活保護を受けている保護者と，経済的困窮度がそれに準ずると市町村が判断する保護者が対象となります。

★ 無償化の対象は 2014 年度からは，一定所得以上の家庭が除外されるとともに，一定所得以下の家庭には就学支援金に加えて奨学給付金が支給されるようになりました。

支援新制度が開始されました。これは，国による入学金・授業料の減免と給付型奨学金の拡充によって，低所得家庭の高等教育費負担の軽減をはかるものです。このように無償化の範囲は徐々に広げられ，奨学金などの修学支援制度も改善されてきてはいます。しかし，現行の「子供の貧困対策に関する大綱」(2019年11月決定)でも述べられているとおり，経済的理由によって教育を受ける機会を制限されることがない社会という目標の達成はまだ決して十分とはいえません (⇨Column ❽)。

WORK⑨

教育の無償範囲はどこまで？　世界には，義務教育学校の授業料だけでなく，通学費，給食費，学用品費なども無償にしている国があります。無償の範囲は，どこまで広げるべきでしょうか。また，日本では，私立小・中学校の場合，授業料を家庭が負担していますが，国公立学校と同じように無償にすべきでしょうか。さらに，小学校や中学校だけでなく，保育所・幼稚園，高校，大学の授業料も無償にすべきでしょうか。意見を出し合い，話し合ってみましょう。

障がいのある子どもの教育を受ける権利

　教育を受ける権利は，すべての国民に「ひとしく」保障されなくてはなりません。戦前は社会的身分や性別を理由とする差別が，公式に学校制度のなかに位置づけられていましたが，日本国憲法と旧教育基本法により，こうした差別構造の多くはいちおう取り払われました (⇨第6章)。しかし，障がいのある子どもは，戦後も長期間にわたって，教育を受ける権利を著しく制限された状態が続きました。特に知的障がい児，肢体不自由児，病弱児は義務教育を猶予・免除されることで，実質的に教育を受ける権利を奪われる状態が，1979年に養護学校教育の義務制が実現するまで続きました。

　一方，世界的にはその頃すでに，障がい児のための特殊教育を通常の教育から区別するのではなく，「すべての子どもに特別な教育的ニーズ (special educational needs) があり，それを充足する権利が保障されるべきである」という考え方が提唱されるようになっていました。その背景には，障がい者と健常者が区別されることなく，ともに生活するのがほんらいの在り方であるとする，ノーマライゼーション理念の普及がありました。

> **Column ❼ 日本は，人種・民族による教育差別とは無縁なのか？**
>
> 　日本の教育では，人種や民族による差別はないように思われるかもしれませんが，実際にはそうとはいえません。2010 年に国連・人種差別撤廃委員会が日本政府に行った勧告では，日本政府は日本以外の国籍をもつ子ども，あるいは移民労働者の子どもの教育を受ける権利をしっかりと保障しなければならないと述べられていました。これは，当時国内で議論になっていた，公立高校の授業料無償化の対象から朝鮮学校を除外するかどうかという問題を念頭に置いた勧告ですが，いわゆる被差別部落やアイヌの人たち，沖縄のアメラジアンといわれる子どもたち（基地で仕事をしているアメリカ人と日本人との間に生まれた子どもたち）へのさまざまな差別問題にも言及しています。日本の学校，学級で学んでいる外国にかかわりある子どもたちは，決して少なくありません。日本社会が多文化共生という方向に進んでいくうえで，教育における人種・民族による差別をなくすことは，必須の課題であるといえます。

　1994 年にスペインで開催されたユネスコの「特別ニーズ教育世界会議」で採択された「サラマンカ宣言」では，心身の障がいに限定するのではなく，社会，経済，文化，言語などの面でハンディキャップを負っている子どもたちが教育から排除されることを許さず，それぞれの特別な教育的ニーズに応えていくべきことが，インクルーシブ（包摂的）教育の実現という理念として唱えられました。

　日本では，このインクルーシブ教育の理念は，特殊教育から特別支援教育への転換として具体化されました。盲学校，聾学校，養護学校という障がいの種別ごとに設置されていた学校は，2007 年度から特別支援学校として一本化されるとともに，地域の学校に在籍する特別な支援を必要とする子どもたちの教育に必要な助言または援助などを行うセンターとしての役割も担うことになりました。SLD や AD/HD のように，従来であれば障がいの範疇には含まれなかった比較的軽度の発達障がいや学習障がいも含んで，子どもたち一人ひとりの教育的ニーズにもとづく自立・社会参加支援を行うことが特別支援教育の目的であるといえます。

　2006 年の教育基本法改正により，障がいのある者がその障がいの状態に応

じ，十分な教育を受けられるよう，必要な支援を講じることが国と地方公共団体に義務づけられました。さらに，2011年に障害者基本法が改正され，国と地方公共団体は，できる限り障がいのある子どもが，障がいのない子どもとともに教育を受けられるように配慮して，教育内容・方法の改善および充実をはかる等必要な施策を講じることが求められるようになりました。この背景には，2006年12月に国連総会で採択された「障害者の権利に関する条約」に，障がいのある人もインクルージョンの理念のもとで「良質な教育を受けられる公平な機会を与えられること」とされていることがあります。日本政府は，2014年1月にこの条約を批准しています。

子どもの権利

ルソーは，人間にとっていかに教育が重要であるかだけでなく，子どもが「小さな大人」としてではなく，子どもとして遇されるべきことを唱えました。このルソーの思想は，未熟であるから保護が必要とされると同時に，大きな発達の可能性に対する適切で十分な援助を求める権利をもつ存在として子どもをとらえる，「子どもの権利」という考え方を形づくることになりました。

子どもの権利条約

しかし，現実には「子どもの権利」という考え方が認められるようになるまでには長い年月を要しましたし，その間，産業革命期には過酷な児童労働が行われ，国家間，民族間の戦争によって多くの子どもが犠牲になったこともありました。むしろ，子どもの権利は，こうした子どもの権利がまったくといって

───────── note

★　SLD（限局性学習症）は，聞く，話す，読む，書く，計算する，推論するなどの能力のうち特定のものについて困難があることを指します。そのために学校での勉強の遅れなどが生じる場合がありますが，全般的な知的発達に大きな問題があるわけではありません。AD/HD（注意欠如・多動症）は，注意力が散漫であったり，落ち着きがなく突発的に行動したりする発達障がいで，うまく対人関係が築けなかったり，学校の成績の低迷につながることもあります。従来は本人のやる気のなさやわがままのせいと誤ってみなされることが多くありましたが，気が散らないように集中できる環境を整えることなどによって対処することが可能です。

Column ❽　給付型奨学金制度の創設を求めて行動を起こした学生たち

　千葉県流山市にある東葛看護専門学校のモットーは,「学生が主人公」です。普段から教職員と学生の対話を重視し,学生の声を反映した学校づくりが行われています。たとえば,学校評価懇話会（学校関係者評価）に学生自治会のメンバーが参加して,授業や学生生活に関する要望を行っています。要望は,事前にアンケート調査などを行い,学生全体の声が反映されるようにしています。

　2015年の学校評価懇話会で,学生の授業中の居眠り・遅刻が話題になった際,ある講師の「アルバイトがその原因ではないか」との発言に端を発し,学生主導で「アルバイト実態調査」を行いました。その結果,アルバイトをしなければ生活が困難な学生が少なくないことがわかりました。筆者自身,月5万円の奨学金を借りていましたが,それでは不足していたため,土・日・祝日のアルバイトでなんとか生活費を賄っていました。

　こうした学生の現状に加え,日本の教育費負担が諸外国と比べて高いことを学んだことから,2018年7月,学生自治会が中心となって,流山市に給付型奨学金制度の創設を求める陳情を行いました。その後,陳情だけでは十分ではないと考え,署名活動を開始することになりました。その過程で「高等教育無償化プロジェクトfree」という団体に出逢い,私たちだけでなく多くの大学生たちも経済的困難を強いられている現状を知りました。freeと共同して新宿アルタ前で道行く人びとに向けて奨学金の必要性を訴え,署名を集める活動も行った結果,8960筆の署名を集めて流山市に提出することができました。そして,2020年4月,「流山市看護師等修学資金貸付」制度の創設という形で活動が実を結びました。いまでは,多くの学生がこの制度を活用することで,看護師になるための学びを継続できています。

　自治体に奨学金制度の創設を求めるというのははじめての体験で,右も左もわからなければ,ほんとうに実を結ぶかどうかもわかりませんでした。自治会の仲間のなかにも,「やっても意味があるのか」「何にもつながらないのではないか」と半信半疑の声もありました。しかし,行動しなければ,何も変わらないし何も生まれなかったでしょう。コロナ禍でアルバイト収入が減ったため,退学せざるをえない学生もいたはずです。自分たちの教育を受ける権利を守るには,勇気を出して一歩を踏みだすことが必要だとわかった経験でした。

【宮田裕二】

いいほど顧みられなかったことに対する反省を契機にして，徐々にその意義と必要性が訴えられるようになっていったのです。

　たとえば，第1次世界大戦（1914-18年）の惨禍のなかで子どもたちが払った多大な犠牲から，国際連盟が1924年に「子どもの権利に関するジュネーブ宣言」を採択し，人類には「子どもに対して最善のものを与える義務」があると訴えました。しかし，この「宣言」の訴えは，第2次世界大戦（1939-45年）によって再び踏みにじられることになります。国際連合が，1948年の世界人権宣言において「すべて人は，教育を受ける権利を有する」と宣言したことに続き，1959年に「子どもの権利宣言」を採択したのは，今度こそ，子どもの人権と固有の権利を守る義務を果たさなければならないという決意の表明であったのです。

　「子どもの権利宣言」が採択されてから30年後の1989年に「子どもの権利条約（児童の権利に関する条約）」が国連総会で採択されました。この条約は，「前文」と全54条から構成されています。主な内容は，子どもには第1に「生きる権利」があること，第2に「育つ権利」があること，第3に「守られる権利」があること，そして第4に「参加する権利」があることです。生きる権利とは，病気・怪我や戦争によって生命を奪われないことや，適切な治療を受けられることを意味します。育つ権利には，教育を受けることだけでなく，必要な休息や遊びが保障されることも含まれます。守られる権利には，いかなる種類の虐待や搾取からも自由であることを意味し，特に障がいのある子どもや少数民族の子どもが保護されなくてはなりません。そして，参加する権利は，自由に自分の意見を表明したり，仲間と活動が行えることを意味しています（日本ユニセフ協会HPより）。

　このように，子どもの権利条約の基本的理念は，子どもを弱い存在として特別な保護が与えられるべきであるとしながら，未熟な存在として思想や行動を制約するのではなく，子どもが自分らしく生きること，さまざまな権利を行使することを通じて発達する権利を保障する責務を社会全体に負わせることです。この条約を批准した国・政府には，子どもにかかわるあらゆることを決定し実行する際に，子どもの意見を聴き，子どもにとっての最善の利益がはかられるようにする責務があります。日本政府は，1994年にこの条約を批准しました。

> **QUESTION**
> 子どもの権利という視点からみたとき，現在の日本の教育にはどのような課題があるでしょうか。

日本の教育の課題

　子どもの権利条約の批准国において，子どもの権利を実現する責務が果たされているかどうかを審査するために国連・子どもの権利委員会という機関が設置されています。この委員会が日本の子どもの権利状況について審査を行った最新の総括所見（2019年）では，民族的マイノリティの子ども，被差別部落出身の子ども，外国と関係のある子ども，移住労働者の子ども，LGBTの子ども，婚外子，障がいのある子どもに対して現実に行われている差別など，具体的な問題を指摘して，国として早急に対処すべきだと勧告しています。また，子どもに影響を与えるすべての事柄について，子ども自身が自由に意見を表明する権利が保障され，その意見が正当に重視されるよう保障することを促し，家庭，学校，地域コミュニティ，保健医療の現場，そして子どもにかかわる司法・行政手続において，すべての子どもが意味のある形で参加できるようにするよう勧告しています。

　2022年度の通常国会で，日本国憲法と子どもの権利条約の精神に則った子どもの権利擁護を謳うこども基本法が成立しました。同法の施行（2023年4月1日）と同時に，子ども政策の総合調整機能を担うこども家庭庁も設置されます。これらは，子どもの権利に関する包括的な法律を制定し，政策を策定・実施すべきであるという，国連・子どもの権利委員会による勧告に応えるものであるといえます。行政から独立した立場で子どもの権利擁護を行う第三者機関（「子どもコミッショナー」）の設置は当面見送られ，子ども政策の充実に必要な財政措置についてもあまり具体化されていませんが，国およびすべての地方自治体は今後，子どもの最善の権利を優先して関連する政策・施策を実施することが求められることになります。学校教育においても，子どもの権利という視点から，そして子ども自身の声を聴きながら，現在の在り方を点検していくことが必要です（⇨第7章）。

SUMMARY

　この章では，すべての子どもに教育を受ける権利を保障する義務を，保護者をはじめ，社会全体として担うことが「義務教育」の意味であることを学びました。教育を受ける権利は，人種，信条，性別，社会的身分，経済的地位，門地（家柄），障がいなど，いかなる理由であっても差別されてはなりません。経済的な理由により，教育を受ける権利が十分に保障されないことがないようにするため，教育の無償制度や経済的援助が重要です。また，障がいのある子どもたちの教育を受ける権利も，養護学校教育の義務化，特別支援教育への転換により，徐々に保障されるようになっています。しかしなお，教育を受ける権利を含む，子どもの権利という視点に立って，現在の教育の問題点や課題を明らかにしていくことが求められています。

さらに学びたい人のために　　　　　　　　　　　　　Bookguide

木村泰子・小国喜弘『「みんなの学校」をつくるために──特別支援教育を問い直す』小学館，2019年

ルソー，J.J.／今野一雄訳『エミール』上・中・下，ワイド版，岩波文庫，1994年

堀尾輝久『人権としての教育』岩波現代文庫，2019年

引用・参考文献　　　　　　　　　　　　　　　　　Reference

東京大学大学院教育学研究科大学経営・政策研究センター（2007）『高校生の進路追跡調査第1次報告書』

ルソー，J.J.／今野一雄訳（1962）『エミール』上，岩波文庫

CHAPTER

第6章

子どもの学びを支える仕組み

INTRODUCTION

子どもたちが膨大な時間を過ごして学び成長する場所である学校は，国や地方公共団体，ないしは学校法人が設立と維持に責任を負う公教育機関として位置づけられています。

公教育制度としての学校教育には，すべての子どもにひとしく教育を受ける権利を保障するという観点から，全国的な一定水準の確保が求められます。また，学校では教職員が集団的に子どもたちの教育の責任を負い，保護者や地域住民とも協力しながら，組織としての運営が行われています。

この章では，このような公教育制度としての学校教育という側面について学びましょう。

KEYWORDS

公教育　教育を受ける権利　複線型学校体系　6・3・3・4制　単線型学校体系　学校法人　民主化　地方分権　文部省　教育委員会　旧教育基本法　教育委員会法　教育長　教育行政の一般行政からの独立　地方教育行政の組織及び運営に関する法律　大津市中学生いじめ自殺事件　教育課程　学校教育法施行規則　学習指導要領　教科書　教科書検定　国定教科書　家永三郎　同僚性　校長　副校長　教頭　校務分掌　チーム学校　働き方改革　アカウンタビリティ　PDCA　自己評価　学校関係者評価　第三者評価　学校評議員　地域運営学校（コミュニティ・スクール）

1 公教育と私立学校

> QUESTION
> あなたは,「公教育」ということばを聞いたことがありますか。聞いたことがあるとしたら,その意味や範囲について考えてみたことはありますか。家庭や塾でも教育が行われていますが,それは公教育に含まれるでしょうか。私立学校はどうでしょうか。

公教育の定義

　塾や予備校では,学校で行われている教育を補う教育や,部分的に重複する教育が行われています。また,あえて学校教育とは異なる理念にもとづく教育を実践しているオールタナティブスクールのような学びの場もあります。こうした広い意味での教育機関や,家庭で行われる教育とは区別して,学校で行われている教育を,一般に<u>公教育</u>と呼んでいます。

　公教育の厳密な定義は,たいへん難しいのですが,とりあえず,すべての子どもにひとしく<u>教育を受ける権利</u>（⇨第 5 章）を保障することを目的として,全国的に一定水準が確保されている教育であるといえるでしょう。

　教育を受ける権利を保障するためには,まず,常識的に考えて通える範囲に学校が存在し,教職員がいて,授業その他の教育活動を行える施設や設備が整えられていなければなりません。これらをすべて個人や企業などの民間団体に任せてしまうと,学校のない地域があったり,教職員の数や施設・設備面で格差が生じたりする恐れがあります。そこで,国や地方公共団体（自治体）が,公教育が適切に行われるようにする諸条件を整備しなければなりません。さらに,国や地方公共団体は,教育内容,学校の管理・運営,教職員の資格や身分などについて,方針や基準や規則を定めていますが,これも全国的な一定水準の確保を目的としています。

　学校教育の歴史を顧みると,多くの国々ではかつて<u>複線型学校体系</u>となっていました。これは,社会階層や性別,あるいは知能テストなどで判定された子どもの能力に応じて異なる種別の学校が設けられており,しかも上級学校への

| CHART | 図 6.1　日本の戦前と戦後の学校体系

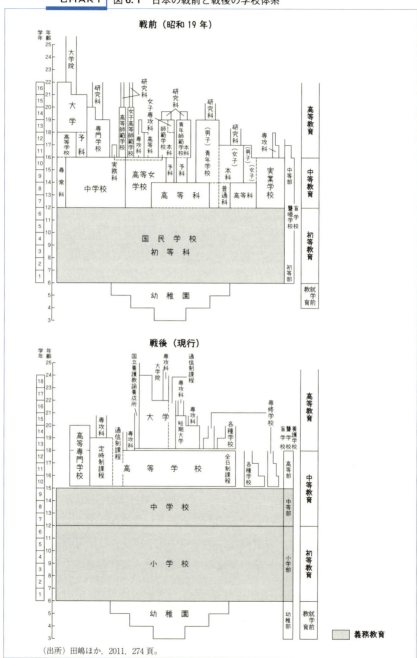

(出所）田嶋ほか，2011，274 頁。

76 ● CHAPTER 6　子どもの学びを支える仕組み

進学可能性が開かれているのは，そのうちの一部の学校に限られる学校体系を意味しています。

戦前の日本でも，旧制高等学校や大学まで進学する子どもだけが小学校から旧制中学校へ進学し，それ以外の子どもにとってはせいぜい高等小学校が最終学校というように，下級学校と上級学校の接続は部分的かつ閉鎖的なものでした。さらに，性による差別もあり，女子には高等教育を受ける道が閉ざされていました。それが，戦後教育改革により6・3・3・4制が導入されたことで，どの学校からも上級学校への進学が可能になり，「能力に応じて，ひとしく教育を受ける権利」（憲法26条1項）を保障する公教育としての単線型学校体系へと改革されたのです（図6.1）。

私立学校

教育基本法（6条，8条）では，私立学校も，国や地方公共団体の設置した学校と同様に「公の性質を有する」としています。ここからわかるように，日本では一般に，私立学校の教育も公教育と考えられています。日本では，歴史的に国家主導によって公教育を整備する側面が強かったものの，実際には私立学校が重要な役割を果たしてきました。表6.1の学校数，園児・児童・生徒数からもわかるように，今日では私立学校を抜きにして公教育を語れません。

私立学校は，建学の理念・精神にもとづき，学校法人が設置した学校であり，その自主性は尊重されなければなりませんが，公教育の学校として，国・公立

CHART 表6.1 私立幼稚園・学校数

	園・学校数	園児・児童・生徒数
幼稚園	6,266 (66.5%)	875,379 (86.5%)
幼保連携型認定こども園	5,407 (86.2%)	700,431 (87.9%)
小学校	241 (1.2%)	79,552 (1.3%)
中学校	778 (7.7%)	245,245 (7.6%)
高等学校（全日制・定時制）	1,320 (27.2%)	1,010,631 (33.6%)
中等教育学校	18 (32.1%)	6,870 (21.0%)
特別支援学校	15 (1.3%)	855 (0.6%)

（注）（ ）内は全体に占める割合
（出所）文部科学省「令和3年度学校基本調査」より。

CHART　表6.2　公立・私立別1年間の学習費（単位：円）

	公 立	私 立
幼　稚　園	223,647	527,916
小　学　校	321,281	1,598,691
中　学　校	488,397	1,406,433
高等学校（全日制）	457,380	969,911

（注）ただし，学習費には，学校教育費，学校給食費，学校外活動費が含まれる。
（出所）文部科学省「平成30年度子供の学習費調査」より。

学校に準じて，学習指導要領など，国や地方公共団体の定める基準や規則に従うことが求められています。

　国や地方公共団体は，公教育の一端を担う私立学校に対して助成金を支給しています。しかしなお，**表6.2**からわかるように，私立学校では，学習費の家庭負担が公立学校に比較して高額になっています。そのうちの授業料，学用品費，通学費，修学旅行費などを含む学校教育費だけをみると，幼稚園では公立12万738円に対して私立33万1378円と約2.7倍，小学校では公立6万3102円に対して私立90万4164円と約14.3倍，中学校では公立13万8961円に対して私立107万1438円と約7.7倍，高校（全日制）では公立28万487円に対して私立71万9051円と約2.6倍です。

　このような費用負担格差については，教育の機会均等に反するものだから，国や地方公共団体からの助成金を拡大して，家庭負担を減らすべきだという主張があります。それに対し，私立学校で学ぶ子どもとその保護者は，みずから選択して，公立学校で教育を受ける権利を放棄したのだから，費用負担は当然という意見もあります（⇨第5章 WORK ❾）。

文部科学省と教育委員会

QUESTION
　国民の教育を受ける権利を保障し，教育の機会均等を実現するために，国と地方公共団体は分担・協力して，「教育行政」と呼ばれる役割を担っています。それでは，

> 主に「教育行政」を担っている文部科学省と教育委員会とは，どのような機関なのでしょうか。

中央と地方の教育行政

　戦後教育改革においては，戦前の国家主義的・中央集権的教育に対する反省から，民主化と地方分権が教育行政の理念として掲げられました。これらの理念を具体化するために，文部省（当時）の性格が変更され，新たに教育委員会が設置されたのです。

　戦前の天皇制国家体制では，全国の学校は文部省と内務省系統に属する知事の管理統制下に置かれていました。当時の知事は，現在のように住民選挙で選ばれるのではなく，天皇が任命する勅任官であり，中央集権的・官僚主義的な教育行政の仕組みが整えられていました。それに対して戦後は，教育に関する判断は，天皇ではなく，国民の意思によるもの（国民主権）となりました。文部省は，地方公共団体や学校に対して指揮・監督・命令を行う権力的地位には立たず，教育に関する調査・研究や最低限必要な基準設定を行うサービス官庁（service bureau）へと，その性格が変更されました（⇨Column ❾）。

　1947年3月に公布・施行された旧教育基本法では，国家権力が教育を統制する手段としての教育行政を否定して，教育の自主性が尊重されるべきこと（10条「教育は，不当な支配に服することなく……」）と，教育行政は条件整備に努めるべきことが明らかにされました。

　地方教育行政については，1948年に教育委員会法が施行され，首長（市長，県知事など）とは別に住民が直接選挙で選んだ教育委員の合議により担われることになりました（これを公選制教育委員会といいます）。教育委員会制度は，政治の影響を強く受ける一般行政とは異なる特徴をもっています。一般的に，土木・建築，福祉などの地方の政策・施策の決定は，首長の強いリーダーシップのもと議会によってなされ，首長部局と呼ばれる事務局によって担われます。これに対して，教育行政については，教育委員会が決定し（決定機関のことを執行機関といいます），教育長の指揮のもとで教育委員会の事務局が実施することになりました。これは教育行政の一般行政からの独立をはかるものです。なぜ

> **Column ❾　田中耕太郎の「教育権の独立」論**
>
> 　田中耕太郎（1890-1974年）は，教育は政治や行政などの権力行使から独立した教育者によって行われるべきであるとして，「教育権の独立」を唱えました。田中は，戦後，東京帝国大学法学部教授から文部省学校教育局長となり，第1次吉田茂内閣では文部大臣として，旧教育基本法の制定など，戦後教育改革を担った中心人物です。その後，参議院議員，最高裁判所判事・長官，国際司法裁判所判事を歴任しました。田中の「教育権の独立」論，教育の目的としての「人格の完成」論は，著書『新憲法と文化』（1948年）や『教育基本法の理論』（1961年）から知ることができます。

ならば，教育行政には政治的中立性，安定性，高度な専門性が求められるからです。もし首長が教育に関する権限をすべて掌握すると，政治的な意見が教育政策に直接反映されたり，選挙による首長交替によって，教育政策が頻繁に変更されることがないとも限りません。

　しかし，1950年代に入ると，日本の独立をはじめとする国内外情勢の変化を背景として，終戦後の自由主義的な教育改革が修正され，文部省も教育内容に大きく踏み込んだ権限を行使するようになりました。国民道徳の復活・強化がはかられ，1958年以降は学習指導要領の法的拘束性（⇨Column ❿）が主張されるようになり，このあと詳述するように，教科書検定制度も強化されました。

　教育委員会制度も，1956年に教育委員会法が廃止され，地方教育行政の組織及び運営に関する法律が施行されると，大きく変化しました。まず，当時の保守勢力と革新勢力の対立を背景として，公選制がかえって教育行政に政治を反映させるものであると批判されて廃止され，教育委員の選任方法は首長による任命制に変わりました（これを任命制教育委員会といいます）。また，首長・一般行政部局からの独立よりも調和・連携が重視され，教育委員会が保有してい

note
★　教育長は教育委員会の事務局を指揮して，日常的な地方教育行政の実施を担っています。これに対して教育委員長は合議体である教育委員会の代表者であり，教育委員の互選で選ばれていました。教育長以外の教育委員は非常勤職であり，他の仕事をもっていることも多く，毎日，教育委員会の事務局にいるわけではありません。ただし，これでは教育委員会の責任の所在が不明確だとして，2014年6月の法改正により，「新教育長」が教育委員会の代表者となることになりました（82頁参照）。

た教育予算案を作成して首長に提出する権限がなくなりました。さらに，教育長の任命承認制や機関委任事務などにより，文部大臣を都道府県教育委員会の，都道府県教育委員会を市町村教育委員会の上位機関とする仕組みへと変更されました。★

1990年代以降の教育委員会制度改革

　その後，比較的安定的に継続されてきた教育委員会制度ですが，1990年代以降，地方分権化と規制緩和（規制改革，市場化）という大きな変化の波を受けるようになりました。

　教育行政に関する地方分権化には二重の意味があります。1つは中央＝国からの地方の独立，自治，自律を主張する一般的な意味であり，もう1つは特に文部科学省（2001年1月，文部省から現在の省名に変更）からの教育委員会の自主性，自律性を強めようというものです。そのため，教育行政に関していえば，地方分権化が首長の権限を強化し，教育行政の一般行政からの独立性を弱めるという意味をもつことになります。この場合，首長の教育行政に関する権限が強調される理由として，選挙で住民に選ばれていない教育委員より，選ばれた首長のほうが民意を代表する正統性があるという主張がしばしば聞かれます。

　また，教育委員会の形骸化や力量不足が批判されることがあります。教育行政における分権化と規制緩和は，都道府県や市町村が独自の教育政策・施策を実行する可能性を拡大しますが，教育委員会には可能性を実現する能力が不足しているという批判です。たしかに，たとえば小学校や中学校での少人数学級の実施が現在では地方の判断により可能になっていますが，その実施状況にはばらつきがあります。独自に実施可能な教育政策の範囲が拡大しても，必要な財政能力に格差があることが，その一因であると考えられます。また，原則5名（都道府県・市6名以上，町村3名以上も可）の教育委員（教育長を除く）は非常勤で他に職業をもっていることも多く，月1回程度開催する会議では実質的に

───────────────────────── note
★　教育長の任命承認制は，都道府県の教育長を任命するに際しては文部科学大臣の承認，市町村の教育長を任命するに際しては都道府県教育委員会の承認を必要するというもの。また，機関委任事務とは，文部科学大臣が都道府県教育委員会に，都道府県教育委員会が市町村教育委員会に事務執行を委任し，その事務については指揮監督ができるという仕組みでした。いずれも2000年4月の地方分権一括法の施行によって，廃止されました。

は何も決められないという批判にもあたっている部分がありました。

　2011年10月に大津市中学生いじめ自殺事件が起こり，教育委員会の対応が危機管理能力の不足や隠蔽体質を露呈したと厳しく糾弾されました。そうしたなかで教育委員会制度改革が議論された結果，地方教育行政の組織及び運営に関する法律が2014年6月に改正され，2015年4月から教育委員長と教育長を一体化した「新教育長」を首長が任免し，教育委員会の責任者とするとともに，首長が主催する総合教育会議で地方教育の「大綱」を決定する仕組みへと変更されることが決まりました。この教育委員会改革は，現実的で効果を期待できるようにみえる部分もありますが，政治から一定の距離を保つことで安定性と専門性を担保するという教育行政の原則を変化させるものであるといえます。

 ## 学習指導要領と教科書検定

> **QUESTION**
> 　公教育の定義には，教育の機会均等という理念にかかわり，一定の教育水準と共通性が保たれているということがあります。国の教育行政機関である文部科学省は，どのような仕組みで公教育内容の水準と共通性を確保しているのでしょうか。

学習指導要領

　学校は，それぞれ教育課程を編制することになっています。教育課程とは，その学校の子どもたちは何を，いつ，どのように学ぶかを示した教育計画のことであり，子どもや地域や実態に即したものである必要があります。

　同時に，各学校の教育課程には，教育基本法や学校教育法に掲げられた教育目標をふまえたものであることや，全国的な教育機会の均等や水準の確保という視点も求められます。そのため，教育課程の全国的な基準を文部科学大臣が学校教育法施行規則（省令）や学習指導要領として定めています。たとえば，教科と総合的な学習の時間，外国語活動，「特別の教科　道徳」，特別活動などの領域とそれぞれの標準授業時数については，学校や地域ごとに違いが生じないよう，学校教育法施行規則に定められています。そして，さらに細かく教科

> **Column ❿　国は教育内容をどこまで決定できるのか？**
>
> 　中央集権的，画一的に教育課程を拘束するものであった戦前の教授要目を反省して，1947年に公表された，最初の学習指導要領『学習指導要領一般編試案』は，学校の教師たちが主体的に教育課程を研究するための「手引き」であるとされていました。しかし，文部省は1958年の改訂（小学校，中学校。高校は1960年改訂）以来，学習指導要領には法的拘束力があると主張するようになりました。
>
> 　この変化は，教職員組合や一部の教育研究者によって，教育の諸条件整備を義務とする教育行政の原則からの逸脱であると批判されました。さらに，文部省が学習指導要領にもとづく学力の定着度測定を目的として1961年から全国中学校一斉学力調査を開始すると，これに反対するために教職員組合を中心に実力行使をしてでも実施を阻止しようとする動きが各地で生じました。
>
> 　教育委員会は，この全国学力テスト反対闘争に参加した教職員に懲戒処分を行ったため，その取り消しを求めて多くの裁判が起こされました。裁判では，直接的には懲戒処分の取り消しが争われましたが，本質的な問題は国が定める学習指導要領には法的拘束力が認められるかでした。
>
> 　この問題に法的決着をつけたのが，旭川全国学力テスト事件の最高裁判決（1976年5月21日）です。これは，教育の一定水準の確保と機会均等の実現という正当な理由にもとづいて，国が教育内容を決定する権限をもつことを認める判決でした。しかし，判決が「党派的な政治的観念や利害によって支配されるべきでない教育」に対する国家的介入はできるだけ抑制的であることが要請される，とも述べていたことにも留意する必要があります。

等の目標と内容を定めているのが学習指導要領です（⇨第8章）。

教科書検定制度

　教育課程や学習指導要領に示された教育内容を実際に授業等で学ぶためには，教材が必要となります。その主要な教材が教科書（法令上の名称は，教科用図書）です。

　現在，日本の学校で使われる教科書は，原則として，文部科学大臣の検定を経たもの（検定教科書）または文部科学大臣が著作者であるものでなくてはな

らないとされています。教科書としての検定を受けようとする図書は，著作者または発行者が文部科学大臣に申請を行います。申請された図書が教科書としてふさわしいかどうかは，教科書調査官という文部科学省の専門職員が調査し，教育学の専門家などから構成される教科用図書検定審議会の審議によって決定されます。審議の結果は，合格，判定保留，不合格のいずれかとなり，判定保留の場合，検定意見にもとづいて著者，発行者が行った修正を再び審査して合格あるいは不合格の判定がなされることになります。このように行われた検定結果は，毎年3月頃，発表されています。

教科書検定は，明治時代にもある期間行われていましたが，1903年に修身，日本歴史，地理，国語読本が国定教科書となって以来，しだいに国定教科書の教科目が増加し，アジア・太平洋戦争下の1941年にはほぼすべての教科目の教科書が国定化されました。戦後の教科書検定制度は，国定教科書による教育内容の国家統制に対する反省からはじまりましたが，1950年代半ばには特に戦争記述に関する検定が強化されるようになりました。その結果，高校日本史教科書の執筆者である家永三郎（当時東京教育大学教授）が，教科書検定制度は憲法21条（検閲の禁止），23条（学問の自由），26条（教育を受ける権利），および「教育に対する不当な支配」を禁じた旧教育基本法10条に違反するとして，家永教科書裁判と呼ばれる問題提起を行うに至りました。

家永教科書裁判は，1965年に提訴された第1次訴訟から1984年に始まった第3次まで続き，すべての結論が出されたのは1997年でした。途中，1970年の第2次訴訟東京地裁判決（杉本良吉裁判長の名前から，杉本判決と呼ばれます）では，当該教科書に対する検定は違憲・違法であるという判断がなされました

が，最高裁判所の最終的な判断は合憲・適法（第1次訴訟，1993年），訴えの利益なし（第2次訴訟，1989年），4カ所について裁量権の濫用にあたり違法（第3次訴訟，1997年）でした。

こうして，教科書検定制度自体が違憲，違法であるという主張は退けられましたが，教科書検定審議会の審議の過程に「検定当時の学説状況，教育状況についての認識や，旧検定基準に違反する

との評価等に看過し難い過誤」があり，これに依拠して判断がなされた場合には，文部大臣の裁量権の範囲を逸脱するものであり，違法となるという判断（第3次訴訟最高裁判決）は，教科書検定のほんらいの目的は，あくまでも教育の機会均等の実現と全国的な一定水準の確保であることを思い起こさせるものです。★

4 学校の組織と運営

QUESTION
教育行政は，教育を受ける権利を保障するために，全国的な一定水準の確保という重要な責務を負っていますが，子どもの学びを支える実際の仕事は学校の教職員によって担われています。では，教職員が行う教育活動にはどんな特徴があり，学校はどのように運営されているのでしょうか。

教職員の同僚性

　学校では，教職員が個人としてだけでなく，集団的に子どもたちの成長と学習に対して責任を負っています。近年は，1人が学級全体を見渡して授業を行い，もう1人が理解の不十分な子どもに個別に対応するというように，複数の教師が授業を行うチーム・ティーチング（T.T.）の形態が増えています。しかし，通常の授業であっても，計画や教材研究の段階で他の教師と相談したり，アイディアや教材を共有するなど，頻繁に教師間の協働が行われています。学級を担当する教師は，子どもたちの発達を日々の生活や行事などを通じてどのように支援していくのかを考え，学級経営の目標と計画を立てていますが，これも学年としての目標と計画をふまえたものになっています。

　このように，授業（教科指導）だけでなく，道徳の指導，行事などの教科外

---
note
★　2014年に文部科学省が改正した教科書検定基準では，社会科について，歴史的事象のうち，通説的な見解がない数字などを記述する場合には，その旨を明記することや，政府統一見解や最高裁判所の判例がある場合，それらにもとづいた記述とすることが追加されました。これを受けて，近年では領土問題や日本の戦争責任に関する記述に対して検定意見が付されるのを避けようと，教科書会社・執筆者が自主規制を行うようになっているとの指摘もあります。

活動や生活指導など，ほとんどすべての学校教育活動が教職員によって協働的に行われているという特徴をもっています。教職員が子どもたちの様子について話し合って理解を深め，協働して授業の計画や教材を考え工夫し，実際に授業をみて助言し合い，授業や学級経営で困ったことがあったときには助け合うという，協働的な関係を同僚性（collegiality）と呼ぶことがあります。さらに，現代の学校は，福祉，医療，少年司法などの諸機関と積極的に連携し，同僚性の輪を広げていかなければ，子どもたちの教育を受ける権利を保障し，発達を適切に援助することが難しくなっています。

学校の運営

教育活動が協働的に行われるものであることから，学校として必要になる仕事を適切な役割分担により進めていくことが必要になります。校長，副校長，教頭という管理的役割を担う職種が置かれていることや，教務部，生徒指導部，研修部などの部をとりまとめ，教職員間の連絡・調整を担う主任が置かれているのはそのためです。教職員は，初任時からこのような部や委員会に所属して，授業や学級経営以外の学校として必要な仕事について先輩教職員や同僚から学んでいきます。これを校務分掌といいます。

また，庶務，予算，教職員人事・福利・給与などを担当する事務職員，施設・設備の維持管理を担当する現業（用務）職員，図書館の管理運営を担当する図書館職員，給食の計画や調理を担当する栄養職員，スクールカウンセラーやスクールソーシャルワーカーなど，教師（教諭，養護教諭）以外の職種の人びとも携わっており，学校運営において重要な役割を担っていることを忘れてはなりません。文部科学大臣の諮問機関である中央教育審議会は，2015年12月に「チームとしての学校の在り方と今後の改善方策について」答申をとりまとめました。そこでは，新しい時代に求められる資質・能力を育む教育課程の実現，複雑化・多様化した課題の解決，教員が子どもと向き合う時間の確保という3つの観点から，「チーム学校」が求められるとしています（⇨第9章3節）。

1990年代後半以降の地方（都道府県や市町村）が中央（国）から自立して特色ある教育政策・施策を進めるべきであるという地方分権化の影響は，学校運営の在り方にも影響を及ぼしています。1998年に中央教育審議会が「今後の地

方教育行政の在り方について」答申のなかで「公立学校が地域の教育機関として，家庭や地域の要請に応じ，できる限り各学校の判断によって自主的・自律的に特色ある学校教育活動を展開できるよう」にすべきであるとしてから，予算や教職員人事面で変化がみられるようになりました。たとえば，従来，学校の経費についての予算は使い道があらかじめ指定されているのが普通でしたが，学校裁量の幅を広げた教育委員会の例があります。また，いまでも教職員人事の決定権は教育委員会にあり，学校独自に教師を任用することができないことには変わりはありませんが，学校が求める教師の条件を提示して募集する公募制も一部で実施されるようになりました。

働き方改革

　「チーム学校」が求められる背景の1つに，2006年に文部科学省が実施した教員勤務実態調査の結果，教師の長時間労働という実態があらためて明らかになったことがあります。2014年に公表されたOECDのTALIS（国際教員指導環境調査）では，日本の教師の労働時間は国際的にみても非常に長いことに加え，事務仕事など授業や子どもたちの指導に直接かかわらない内容が多いという特徴も浮き彫りになりました。そこで，教師の長時間労働は，教師の心身の健康問題であると同時に，学習指導要領が求める思考力・判断力・表現力などを育む教育の推進を妨げる要因にもなるととらえた文部科学省は，教師が「子供と向き合う時間」の確保を掲げ，調査文書等による事務負担の軽減やICTを活用した校務の情報化・効率化などを柱とする業務改善を推進してきました。

　しかし，2016年に文部科学省が再び実施した教員勤務実態調査の結果，教師の勤務時間は減るどころか，さらに増加していることが明らかになりました。2019年1月，文部科学省は，教師の「在校等時間（校外で行う研修や児童生徒の引率等の職務を含む）」上限の目安を「1か月の超過勤務45時間以内，1年の超過勤務360時間以内」とするガイドラインを定めました。さらに，同年12月には，「公立の義務教育諸学校等の教育職員の給与等に関する特別措置法（給特法）」を改正し，このガイドラインを法的根拠のある「指針」に格上げしました。また，夏季休業期間中に休日の「まとめどり」を可能にする「一年を単位とする変形労働時間制」を各地方公共団体の判断で導入できるようにもしま

した。一方，教師の「サービス残業」を生み出す原因になっている勤務時間・給与制度の抜本的な見直しは見送られました。

教師の長時間労働は，近年深刻な問題となっている教職志望者の減少の一因になっているともいわれます。文部科学省は，教師の「働き方改革」を積極的に推進していますが，顕著な成果をあげるのは容易ではありません。事務職員，スクールカウンセラーやスクールソーシャルワーカーなどの専門スタッフ，部活動指導員，サポートスタッフ，保護者，地域ボランティアなどとの役割分担・連携も，打合せや調整に時間がとられ，必ずしも教師の負担軽減につながっていないとの指摘もあります。教師が健康で生き生きと教育の仕事に取り組めることは，子どもたちに豊かな学びと成長を保障する不可欠な条件です。疲労を溜め込み，くたくたになった教師の授業を子どもたちは楽しいと感じるでしょうか。「働き方改革」は，教師の意識改革の必要性を訴えたり，業務の合理化を進めるだけでは限界があります。正規雇用の教員数を増やし，学級規模を小さくするなど，国や自治体の責任で教育条件・環境を根本的に改善することが必要ではないでしょうか（⇨Column ⓫）。

保護者・地域住民との協働

学校には，自主的・自律的に特色ある教育を行うことが期待されるとともに，教育活動の目標と結果についてのアカウンタビリティ（⇨第2章）を求められるようになっています。従来から学校では年度末や行事ごとに教育活動の反省や評価を行っていましたが，近年の学校評価はPDCA（plan-do-check-action）サイクルと呼ばれる，学校改善を目的とした経営手法としての性格が強調されるとともに，評価結果の公表が義務づけられるなど，アカウンタビリティを強く意識させられるものになっています。さらに，教職員が行う自己評価に加えて，保護者の代表，学校評議員，地域住民，青少年健全育成団体の関係者，接続する学校（中学校にとっての小学校や高校）の教職員などが参加する学校関係者評価や，外部の教育専門家などによる第三者評価も実施されています。

学校が評価により，保護者や地域住民に対して，教育活動について説明するだけでなく，保護者や地域住民が直接的に学校の運営や教育活動に参加する仕組みも整えられてきました。2000年度から保護者や地域住民が学校評議員と

Column ⓫　学校現場からみた働き方改革

　教師の多忙化や長時間勤務は難しい問題です。学級経営や教材研究に力を入れたくても，放課後は会議や部活動，ときには生活指導や保護者連絡があり，やりたいことが後回しになってしまうことが多くなりがちです。

　しかし近年，筆者の学校をみる限り，状況は改善されてきています。これまで担当の教師だけでやっていたことを，分担・連携していこうという動きがあり，生活指導には必要に応じて，スクールカウンセラーなどもかかわって，チームで対応できる仕組みが整ってきました。過去のデータの閲覧や，会議用のデータの共有を容易にできるようになったことなどから，書類作成や会議にかかる時間が短縮するなど，ICTの活用も業務負担につながっています。

　一方で，課題もあります。ICTでのやりとりが定着したことで，これまで自然とできていたリアルなコミュニケーションが減り，若手教師が同僚の教員に相談しにくくなることや，一部の人に仕事が集中するという不均衡が生じることもあります。職務が細分化され，効率化されても，行事などでは分掌や学年をまたいで行う仕事が多く，全体をまとめる立場の教師に負担がいきがちな点はICTの導入後にも依然としてみられる課題です。

　保護者とのかかわりにも変化が起きています。コロナ禍とオンラインの充実により，保護者の来校の機会や電話が少なくなり，時間的な余裕ができたともいえますが，保護者とのコミュニケーションは減りました。保護者からは「学校に電話するほどではないが，子どもの様子を知りたいと思うことがある」という声も聞きます。また保護者同士のつながりもできにくく，子育てに関する不安を和らげるような場が減っているようにも感じます。

　このように，教師の働き方の問題を，業務軽減，時間短縮という面からみれば，状況は一部改善しているとはいえますが，新たな課題も生じています。教師の働き方を議論するときには，子どもが身につける力，保護者の思い，教師のモチベーションなど，その変化の影響を受ける側の要素も視野に入れることが必要です。コロナ禍にあって行事の再編が議論され，変化が起きている今だからこそ，学校がすべきことや，学校だからこそできることは何かを考えたい。そして働き方改革の先には，保護者や地域も一体となって学校や子どもの未来について考えていける余裕をもてるようにしたい。教師の仕事は，たいへんですがやりがいや喜びがたくさんあります。これから教師をめざす人たちが，前向きな気持ちで来ることができるような学校づくりが求められています。

【渡辺菜津子】

なり，校長の求めに応じて学校運営に関する意見を述べることができるようになりました。2004年度からは，地域運営学校（コミュニティ・スクール）に指定された学校に保護者や地域住民から構成される学校運営協議会が置かれ，この学校運営協議会に学校運営の方針や教職員人事についての一定の権限が与えられています。

　現在，学校評議員はほぼすべての公立学校に置かれており，地域運営学校の指定数も年々増加しています（2021年5月時点で全国11,860校，導入率33.3%。文部科学省調べ）。政府・文部科学省は，すべての公立学校がコミュニティ・スクールになることを目標に掲げており，2017年に法律を改正して，学校運営協議会設置を教育委員会の努力義務にしました。また，以前から行われていた保護者や地域住民による総合的な学習の時間や職場体験活動などの教育活動，子どもたちの通学時の安全確保，施設・設備の保守などへの協力も，より多くの人や団体が参加して，多様な活動を継続的に行えるようにするため，コーディネート機能を担う地域学校協働本部が設置されるようになりました。

　このような保護者や地域住民，ボランティアとの協働は，教職員の努力や力量だけではできない教育活動を可能にし，子どもたちに豊かな教育の機会を提供する可能性をもっています。しかし，教育目標や活動内容をめぐって深刻な対立が生じる恐れも，まったくないわけではありません。さらに，学校が意識を向ける意見が，声の大きな一部の保護者や地域住民のものになっていないかということも，配慮する必要があるでしょう。学校と保護者や地域との協働は，すべての子どもたちの教育を受ける権利を保障するための手段であるという基本をつねに確認しながら進めていくことが求められるでしょう。

SUMMARY

　この章では，「教育を受ける権利」という視点から，「公教育」の意味を考えました。すべての子どもにひとしく「教育を受ける権利」を保障するための制度が公教育であるということから，教育の機会均等と全国的な一定水準の確保が，国と地方の教育行政の重要な責任です。教育内容にかかわる学習指導要領と教科書検定制度も，この責任を果たすためのものであるといえます。一方，実際に教育活動を担っ

ている教師の仕事と学校の運営も協働的に行われているという特徴があります。この協働を学校内の教職員間だけにとどめず，福祉，医療，少年司法など，学校外の子どもの発達を援助する諸機関や，保護者・地域住民にも広げていくことが必要になっています。

さらに学びたい人のために　　　　　　　　　　　　　　　Bookguide

小川正人『教育改革のゆくえ——国から地方へ』ちくま新書，2010 年
浦野東洋一『学校改革と教師』同時代社，1999 年
勝野正章・村上祐介編著『教育行政と学校経営』新訂，放送大学教育振興会，2020 年

引用・参考文献　　　　　　　　　　　　　　　　　　　　Reference

田嶋一・中野新之祐・福田須美子・狩野浩二（2011）『やさしい教育原理』新版補訂版，有斐閣

第 **3** 部

よりよい教育について考えよう
あなたなりの答えにたどり着くために

PART **3**

CHAPTER		
	7	子どものための学校ってどんな学校？
	8	学校では何を学ぶの？
	9	よい先生ってどんな先生？
	10	どんなふうに子どもに接したらよいのか？
	11	子どもがよく学ぶためには？
	12	学校を卒業したら学ばなくてもよいのか？
	13	

CHAPTER

第 7 章

子どものための学校ってどんな学校？

INTRODUCTION

　子どもが家庭に次いで長い時間を過ごしている学校は，だれもが安心して生活でき，じっくり学べる場所であってほしいと思います。学級の雰囲気になじめなかったり，友だちとの人間関係に傷ついたりしながら，無理して学校に通っていたり，勉強がわからないまま，ただじっと椅子に座って授業が終わるのを待っているのはとても辛いことでしょう。

　学校は「子どものための学校」であってほしい。でも，この「子どものための学校」って，どんな学校でしょうか。この章では，この問いについて考えてみましょう。

KEYWORDS

教化（インドクトリネーション）　人格の完成　人材の社会的配分装置　学歴病　教育内容の現代化　汎知主義　デューイ　シカゴ大学付属実験学校　『学校と社会』　大正自由教育　手塚岸衛　及川平治　池袋児童の村小学校　児童中心主義　野村芳兵衛　社会化　進歩主義（プログレッシビズム）　オープン・スクール　個別化　ブルーム　マスタリー・ラーニング　不登校　フリースペース　フリースクール　教育機会確保法　東京シューレ

1 学校は何のためにつくられたの？

> **QUESTION**
> 「子どものための学校」について考える前に，学校というものがつくられた歴史的背景や目的についても理解しておく必要があるでしょう。そもそも学校とは，何のためにつくられたのでしょうか。

治安維持と労働力の確保

　まず，16世紀頃からヨーロッパでつくられはじめた，庶民を対象とした学校についてみてみましょう。近代という時代は，中世の身分制社会という軛から人びとを解放し，一定の経済力と政治参加の権利をもった市民層を誕生させました。しかし同時に，伝統的な共同体という生活の場と手段を失った大量の貧民層を生み出すことにもなったのです。そのため，たとえばイギリスでは，国家や教会が救貧と治安維持を目的として，都市に集まってくる貧しい家庭の子どもたちや孤児を施設に収容し，簡単な手仕事や読み書きを教えるとともに，宗教的な道徳教育を施しはじめました。

　その後，産業革命の進展とともに，それまでのマニュファクチュア（手工業）が機械工業にとって代わられ，大量の工場労働者が必要とされるようになりました。その結果，大人だけでなく，子どもたちも工場労働者として駆り出されることになったのです。工場で働く非熟練労働者に求められたのは，生産性を高めるのに必要な最低限の知識や技術と，勤勉な態度や規律正しさ，そして権威と命令への従順さでした。また，大人と同様に過酷な条件で働かされていた子どもたちの風紀の乱れや犯罪の増加が社会秩序を脅かすものと不安視され，宗教教育や道徳教育の必要性がますます強調されるようになりました。

　さらに産業が発展すると，原材料や製品市場を確保する必要性から他国との貿易や交渉が盛んになり，権益や領土をめぐって国家間の戦争が頻繁に起きるようになりました。こうして国外を意識しながら国内の産業・経済を発展させ，外国との戦争に勝利するためには，人びとが国民（nation）としての一体感を

> **Column ⓬ モニトリアル・システム**
>
> 　19世紀のイギリスでは，内外学校協会（ランカスター協会，非国教会系）と貧民のための国民協会（国教会派）が競うように，下層・労働者階級の子どもたちに宗教教育と道徳教育を中心に施す学校を設置，運営していました。これらの学校では，ひとりの教師が教えたことを，年長の子ども（モニター，助教）が大勢の子どもたちに反復させる，モニトリアル・システムと呼ばれる教育方法が用いられていました。この方法は，当時の工場生産の論理を反映して，効率性を重視した画一的生徒管理と個人・集団間の競争原理を学校に持ち込むものでした。

もつことが必要だと考えられるようになりました。国語教育と道徳教育（宗教教育）を中心に国民意識を国内の人びとにもたせること，すなわち国民統合が必要だと考えられたのです。

　このようにして近代の国民国家は，基礎的な読み・書き・算の能力をもった労働者を効率的に生み出すことと，国民意識を培うことを主な目的として，学校というものをつくったのです。この点，日本の明治初年につくられた近代公教育制度も決して例外ではありませんでした（⇨第2章）。

人材の社会的配分装置

　日本の学校は，戦後教育改革によって，道徳や価値観を一方的に教え込む**教化（インドクトリネーション）**ではなく，「**人格の完成**」（⇨第5章）が目的とされることになりました。「人格の完成」ということばは，少し難しく感じられるかもしれませんが，知・徳・体のいずれかに偏らない，人間として調和のとれた成長というくらいの意味だと考えればよいでしょう。それでは，その後の学校は，人間として調和のとれた成長ができる場所となったのでしょうか。

　戦後日本の学校教育の大きな特徴は，その量的拡大にありました。明治初年に近代的な学校がつくられたときには，その理念が，農業を主たる生業として，村落共同体のなかで生活していた庶民の現実に合致せず，授業料を負担しなければならない受益者負担原則が採用されたこともあって，学校の打ち壊しが起

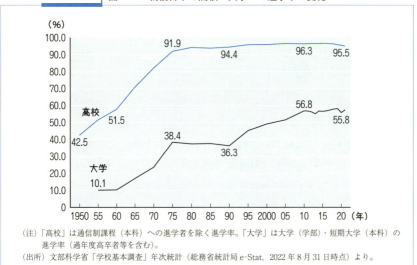

CHART 図7.1 戦後日本の高校・大学への進学率の変化

(注)「高校」は通信制課程（本科）への進学者を除く進学率。「大学」は大学（学部）・短期大学（本科）の進学率（過年度高卒者等を含む）。
(出所) 文部科学省「学校基本調査」年次統計（総務省統計局 e-Stat, 2022年8月31日時点）より。

きた地域もありました。しかし，産業化と都市化の進行とともに，やがて庶民は学校教育を積極的に受け入れるようになりました。戦後教育改革により，中学校修了までの9年間が義務教育とされるとともに，6・3・3・4制の単線型学校体系（⇨図6.1）が敷かれたことで，教育を受ける機会が開かれ，高等学校進学率，さらに短期大学・四年制大学進学率が短期間に著しい上昇を遂げました（⇨図7.1）。

　このように高校や大学など上級学校への進学率が短期間に上昇したのは，学校が人材の社会的配分装置としての役割を果たしていたことと関係しています。学校の修了証書は，その所有者が保持している能力の種類や程度を証明するものですが，同時に所有者をさまざまな職業や社会的地位に振り分ける役割を果たしています。専門的な知識や技術を必要とする職業に就くには，学校段階でその基礎を身につけてくることが必要となります。また，一般に中学校を卒業しただけよりは高校を卒業しているほうが就職できる職業や職種の範囲が広がります。さらに，往々にして，より高い社会的地位や給与を伴う職業に就く可能

1　学校は何のためにつくられたの？　●97

性も高くなります。高校を卒業して大学に進学すれば，こうした可能性はいっそう高まります。

学歴という新しい文明病

日本は1950年代の半ばから，第1次石油ショックが起きる1973年までの約20年間，年間経済成長率が10％を超える高度経済成長を経験しました。この経済成長と上級学校進学率の上昇は並行して進行しました。そこには，経済成長が恵まれた社会的地位や給与を伴う職業をつくり出し，そのような職業をめざして，人びとの進学意欲が高まったという側面がありました。

さらに，経済成長は労働者の給与を上昇させ，家庭の教育費負担能力を高めることで，進学を可能にする家計的条件を整えることにもなりました。このように，教育の機会が広く開かれることと，学校による人材の社会的配分機能が強まることはコインの両面のような関係であったことがわかります。

しかし，人びとの進学意欲の高まりに支えられた学校教育の量的拡大は，その後の人生により有利となる学校の修了証書（学歴）を求める競争へと多くの人びとを巻き込むものでもありました。入学試験や学校の成績をめぐる競争を激化させることになったのです。

学校の修了証書が，人間を人材として社会的に配分する役割を強めるようになると，私たちが学校で何を学んだか，どのように成長したかよりも，証書自体が価値をもち，重視されるようになるという本末転倒が生じます。イギリスの社会学者ロナルド・ドーアは，その著書『学歴社会——新しい文明病』において，このような事態が広がった社会にみられる種々の病理現象を学歴病（diploma disease）と呼びました。

この時代の学校では，教育内容が増え続け，学問の先端的成果を反映した内容も積極的に採り入れられました。経済成長と技術革新を支える有能な人材の育成が急務とされたことを背景にもつ，このような政策動向は教育内容の現代化と呼ばれました。その結果，日本の子どもたちの学力は国内外で高く評価されるようになりました。しかし，その一方で，学んだことと，実生活のなかで体験する自然現象や社会的事象とを関連させる力が弱いことや，テストが終わるとすぐに忘れてしまう「剝落する学力」であることなどの課題も指摘されて

いました。これは，競争によって動機づけられた「勉強」で身につけた学力の限界であったともいえるでしょう（⇨第2章）。

 ## 「子どものための学校」を求めて

> QUESTION
> 歴史的にみると，学校は長い間，「子どものための学校」というより，産業や国家の発展のためにあったようです。しかし，こうした時代的・社会的背景のもとでも，子ども一人ひとりを尊重した教育を行う学校をつくろうという努力はなかったのでしょうか。

デューイの進歩主義教育

国家の都合に合わせた教化・教育機関ではない，「子どものための学校」の実現に生涯をかけた人物として，まずコメニウス（⇨第4章）をあげることができるでしょう。チェコの宗教改革者であったコメニウスは，人類の文化遺産である文化的知識はだれに対しても開かれていなければならない（汎知主義）として，そのための技法を示すことを目的に『大教授学』を著しました。コメニウスの教育思想は，民衆が知識を獲得し，徳を身につけて理性的存在となることで，やがて人間の戦禍からの解放，祖国の独立と平和が達成されるという理想に裏づけられたものでした。

その後も，ヒューマニズムの立場から，人権思想と深く結びついた教育論を唱えたルソー（⇨第1章）や，民衆子弟の主体形成と生活改善のための教育論を展開し，学校の運営にも尽力したペスタロッチ（⇨第3章）も，「子どものための学校」を求める歴史に，その足跡をくっきりと刻みこんでいます。

さらに時代はくだり，アメリカの哲学者・教育学者デューイ（John Dewey, 1859-1952年）が創設したシカゴ大学付属実験学校（1896-1904年）は，「子どものための学校」の実践的試みの1つとして注目に値します。デューイは，当時の学校において，子どもの生活経験と教室での経験が乖離していることを問題にしました。そして，この乖離をなくすために，シカゴ大学付属実験学校の教

育課程の中心に，木工，金工，料理，裁縫など，当時の日常的な生産活動（オキュペーション）を置きました。それは伝統的な教科で構成される学校の教育課程の否定でしたが，教科のなかに含まれる，人間が長い時間をかけて生み出してきた知識や技術の価値まで否定したのではありません。デューイが考えていたことは，まさにその逆でした。子どもたちが測定や線画や地図を読む技術を学ぶのは功利的な職業訓練のためではなく，生活のなかで実際に直面する諸々の問題の解決をとおして，人類の歴史的発展を理解し，科学的洞察力を発展させるためであったのです。

　デューイが活躍した19世紀末から20世紀はじめ頃の欧米の学校では，厳しいしつけが行われ，体罰なども頻繁に行われていました。授業の方法も，暗記や繰り返しなどが中心の型どおりで工夫がないものが大半でした。デューイが否定したのは，このように教える側の都合を優先し，子どもたちの自発的な興味や関心を顧慮しない学校の授業でした。この伝統的な学校教育からの転換は，「このたびは，子どもが太陽となり，その周囲を教育の諸々の営みが回転する」（デューイ，1957, 50頁）という，デューイの著書『学校と社会』（1899年）の有名な一節に現れています。

池袋児童の村小学校

　日本の大正自由教育と呼ばれる教育改造運動も，国家的な教育目的のための道徳主義的，画一主義的教育という主流に対し，子どもの自主性・自発性を尊重し，生活に即した教育課程の編制を試みた挑戦でした。千葉師範附属小学校主事であった手塚岸衛（1880-1936年）の自由教育論や，明石女子師範附属小学校において及川平治（1875-1939年）が実践した分団式動的教授などが当時注目を集めました。また，成蹊小学校，成城小学校，明星学園，和光学園などの私立学校が開校され，当時の公立学校では難しかった，児童中心主義の教育を推進しました。

　なかでも，「子どものための学校」という点で注目に値するのは，教育の世紀社が設立した池袋児童の村小学校（1924-36年）です。この学校では，教師が決めた教材や時間割を子どもたちに与えるのではなく，何をいつ学ぶかを子どもたち自身が決定するという徹底した児童中心主義にもとづく教育実践が行わ

れました。生活面でも子どもによる自治が尊重され，学校の運営も子どもとその父母と教師の話し合いによって決定されました。

　池袋児童の村小学校には，親鸞の同行思想の影響を強く受け，教師と子どもの協同自治の実現を理想とした野村芳兵衛（1896-1986年）や，生活綴方教育の実践家である小砂丘忠義らが勤めていました。教師や大人が教材や時間割を決めて，子どもに与えるという当然のように思われることが，この学校では子どもの視点から問い直されました。あらためて考えてみると，子どもの生活にはそれぞれのペースがあり，また学び方やもっている知識や関心のありかも違っています。それにもかかわらず，学校では一律のルールに従って生活し，同じ内容を同じ順序で学習するように求められることが一般的です。

　もちろん，ルールに従うことや協調性を身につけていくことは社会での共同生活のために必要なことです。子どもを社会的な存在にしていくことは社会化（⇨第2章）と呼ばれ，学校が担っている重要な役割です。しかし，社会化をルソーのいう子どもの「自然」を無視して，国家や社会や大人の都合だけで進めようとするならば，学校に違和感や疎外感を覚える子どもが増えても不思議ではないでしょう。

オープン・スクール

　子どもは，自分の生活と関連するものからもっともよく学ぶことができると考え，カリキュラムは子どもの要求，経験，関心，能力に即して構成されなくてはならないとする，デューイに代表される思想を児童中心主義，あるいは進歩主義（プログレッシビズム）といいます。進歩主義は，教育を単に大人社会への準備としてではなく，個人と社会の持続的な成長の過程と考えます。19世紀から20世紀への転換期アメリカで生まれた進歩主義教育思想は，1960年代のイギリスではインフォーマル・エデュケーション，70年代のアメリカではオープン・スクールの教育に引き継がれ，再び注目を集めるようになりました。

　当時のイギリスでは，11歳時点で知能テストを実施して，学問に適した子どもと労働に適した子どもに分類し，それぞれのタイプの学校に進学させるという早期選別が行われていました。しかし，それではすべての子どもがもてる能力を十全に伸ばすことはできないとする批判が強まり，このテストが廃止さ

れると，発見による学習など，子どもの個性を重視したインフォーマル（非形式的）な教育が行われるようになりました。1967年に教育大臣の諮問委員会がまとめた報告書プラウデン・レポートも，幼児教育から初等教育への一貫性を強調して，インフォーマルな教育を支持しました。

　このインフォーマル・エデュケーションの影響を受けて，アメリカでもオープン・スクールがはじまりました。オープン・スクールは，子どもの自主性・創造性や興味・関心を尊重して，時間割や教室といった時間的・空間的な制約をできるだけ設けないようにした学校です。また，テーマ学習，調べ学習，教科横断的学習など，柔軟な学習形態と学習内容も，オープン・スクールの教育の特徴でした。

　また，この時期のアメリカでは，一斉授業に対する反省から，子ども一人ひとりの能力や適性に応じて教育内容や教材を変えたり，それぞれの進み具合に合わせて学習に取り組めるよう指導する学習の個別化も推進されました。その代表例は，系統化された共通の目標にもとづいて，子ども一人ひとりの習得度についての形成的評価を行い，回復学習や発展学習の課題に取り組ませることですべての子どもの完全習得をめざした，ブルーム（Benjamin S. Bloom, 1913-99）の提唱したマスタリー・ラーニングです。また，子どもに細分化された学習内容を与え，スモールステップで取り組ませるスキナー（Burrhus F. Skinner, 1904-90年）のプログラム学習も個別化をはかるものでした。

　イギリスのインフォーマル・エデュケーションやアメリカのオープン・スクールの実践には，このような学習の個別化を一部含みながら，それだけにとどまらず，情緒面での安定を生み出す親しみのある関係や，人間としての尊重を重視しており，「人間化」（personalization）という考え方に支えられていました。また，学習においても，子どもたちが相互にかかわり合い，協働することや自分とは異なる視点への寛容などの社会的資質を培うことを重視していたので，学習面に特化した個別化には批判的であることもありました。

　日本では，1970年代以降，英米におけるオープン・スクールの影響を受けて，教室の廊下側の壁をとりはらったオープン・プラン（スペース）型の学校が建築されはじめました。オープン・プラン（スペース）型を利用して，子どもたちの学びの形を大きく変える実験的な試みを進めた緒川小学校（愛知県東

浦町）や打瀬小学校（千葉県千葉市）などが知られています。その後も，オープン・プラン（スペース）型の校舎が各地でつくられていますが，なかには建築面の革新が先行して，オープン・プラン（スペース）を使い，子ども一人ひとりの関心や興味をかきたて，豊かな学びを支援するというほんらいの目的追求が伴わない場合もありました。

フリースペース，フリースクール

1970年代以降，日本は低成長の時代を迎え，高度経済成長期の「詰め込み」や学歴獲得競争が原因とされる問題が徐々に目立つようになりました。その1つが不登校です。社会的に注目されるようなった当初は，「登校拒否」と呼ばれ，怠けや非行の一種とみなされ，本人や家庭に問題があるとみなされることもありましたが，学校が子どもを集団として扱い，一人ひとりの個性が尊重される場になっていないために，行きたくても行けない場合もあることが徐々に認識されるようになり，不登校と呼び改められるようになりました。

不登校は，文部科学省によって，年間30日以上欠席した児童・生徒のうち，病気や経済的な理由による者を除き，「何らかの心理的，情緒的，身体的あるいは社会的要因・背景により，登校しないあるいはしたくてもできない」状況にある子どもと定義されています。文部科学省や教育委員会は，不登校への対応として，スクールカウンセラーや心の教室相談員を配置して学校の教育相談体制を整えたり，適応指導教室を設置して，学校復帰に向けた支援を行ったりしています。その一方で，不登校の子どものための居場所を学校の外側につくるフリースペースやフリースクールと呼ばれる取り組みも，1970年代半ば頃からはじめられるようになりました。

フリースペースやフリースクールの多くは，不登校の子どもたちの保護者や，支援者が自主的に自宅やビルの一室などを利用してはじめたもので，正式な学校ではありません。当初，学校復帰を求める教育行政や学校の理解を得ることが難しいことが多かったのですが，徐々に不登校の子どもに対する支援組織として協力的な関係がつくられるようになっており，フリースペースやフリースクールに来た日数を学校への通学日数として認定したり，運営への補助金も出されるようになりました。さらに，当事者や支援者・団体が，フリースペース

やフリースクールでの学習を正式な義務教育として認めてほしいという運動を展開したこともあり，教育機会確保法が制定され，2017年2月に施行されました。この法律は，フリースペースやフリースクールを正式な学校と認めるには至りませんでしたが，国や自治体に対し，不登校の子どもたちの教育の機会を確保するため，その学校以外の場における多様な学習活動の実情をふまえて，個々の状況に応じた必要な措置（財政措置を含む）を講ずるよう求めています。

　フリースペースやフリースクールでは，生活の基本的ルールを守ることや，友だちを傷つける言動はとってはならないことなどのほかには事細かな決まりはないのが普通です。学習は，自分で教科書や問題集を進めたり，わからないところを周囲の大人や友だちに聞くことはできますが，学校のように決められた時間に決められた内容の勉強をしなければならないということはありません。このようなフリースペースやフリースクールは，学校の競争的な雰囲気や友だちとの関係になじめない子どもにとって，周囲からの評価を気にせず，自分のペースで学ぶことができる場所，一人でいたいときにはだれからも邪魔されずにいられる場所であり，自分をみつめ，ほんとうに信頼できる仲間をつくることのできる，「子どもの居場所」になっています。

「子どもの居場所」から「子どものための学校」へ

　最近では，「子どもの居場所」を学校制度の外側につくり育ててきた経験をもとにして，学校制度の内側にも「子どものための学校」をつくり出そうという挑戦が行われるようになりました。1970年代半ばから，不登校の子どもたちの「居場所」づくりをしてきたフリースクール「東京シューレ」が，2007年に開設した私立学校「東京シューレ葛飾中学校」（以下「シューレ中学校」）がその例です。シューレ中学校は，国の規制改革特別区域制度を利用して設立された学校であり，正式な学校として中学校の教育課程の修了証を出すことができるようになりました。

---

note

★　法律の正式名称は，「義務教育の段階における普通教育に相当する教育の機会の確保等に関する法律」です。この法律は，年齢や国籍等の事情にかかわりなく，義務教育段階の普通教育を十分に受けることができなかった人の教育を受ける機会を確保することを基本理念としており，夜間学校（学級），いわゆる夜間中学にはじめて法的位置づけが与えられました。夜間中学には，さまざまな理由で中学校を卒業できなかった大人や不登校の子どものほか，外国籍の大人や子どもも多数通っています。

> **Column ⓭　サマーヒル・スクールと「きのくに子どもの村学園」**
>
> 　日本では，フリースクールというと，一人ひとりの子どもを大切にするために公的な学校制度の外側につくられた「学校」を意味しますが，海外では独自の教育方針・内容や学校運営を保持しながら，公的な学校として認められている学校もあります。世界でもっとも古いフリースクール＝自由な学校といわれる，イギリスのサマーヒル・スクール（設立は 1921 年にドイツで）もその 1 つです。A. S. ニール（1883-1973 年）が設立したサマーヒル・スクールでは，子どもたちの自主性を徹底的に信頼して，生活も学習も規則などで縛ることはなく，「世界でいちばん自由な学校」と呼ばれています。しかし，1980 年代以降，学力向上を政策目標として掲げるようになった政府との関係は，良好とはいえないようです。
>
> 　日本でも，ニールの著書の翻訳者である元大阪市立大学教授の堀真一郎が，「子どもを学校にあわせるのではなく，学校を子どもにあわせる」というサマーヒル・スクールの理念を実現しようと，1992 年に「学校法人きのくに子どもの村学園」を設立し，各地で学校を展開しています。

　しかし，「子どもの居場所」であり続けようとしているシューレ中学校には，一般的な学校とは多くの違いがあります。たとえば，文部科学省から「不登校児童生徒等を対象とした特別の教育課程の編制」が認められていて，普通の中学校では年間授業時数が 980 時間でなくてはならないところを 770 時間にしています。そのため，午前 2 時間，午後 2 時間の授業にして，朝はゆっくりスタートし，昼休みをたっぷりとり，放課後には「それぞれの活動」と呼ばれる部活動にじっくり取り組むことができます。

　また，シューレ中学校のクラスは「ホーム」と呼ばれ，異年齢で構成されています。この異年齢集団のよさを生かして，家庭・技術，美術，音楽，体育などはホームで学び，英語，数学，社会，理科は学年別に学んでいます。不登校を経験している子どもたちは，学習の進度もさまざまであることが前提なので，スタッフが手厚く個別に対応しています。

　シューレ中学校は，「子どものための学校」であるだけでなく，「子どもがつくる学校」であろうとしています。子ども中心の学校を実現するために，子ど

もの声を聴き，子どもの気持ちや意志を尊重し，スタッフが一緒に考えていくことを大切にしています。そのため，各ホームのミーティングのほかに，全生徒が集う全体ミーティングが開かれ，そこで修学旅行の行き先なども話し合われています。さらに，各ホームの運営委員が子ども代表となり，保護者代表，スタッフ代表とともに「学校運営会議」を構成しています。この学校運営会議は月に一度開かれていて，だれでも自由に議題を提案することができます。学校行事や日常の生活に関することが話し合われ，この会議で決められたことは正式な学校の決定となります。

　シューレ中学校は，正式な学校とはいえ，規制改革特別区域制度を利用しているため，教育課程上の特例が認められている点など，すぐには他の学校で実現できないことがあります。しかし，一人ひとりの子どもの個性やペースを尊重し，その気持ちに寄り添うという理念は，どの学校であってもしっかりともち，手放さずにいることができます。すべての子どもたちが楽しく，深く学べるように教育課程や授業を工夫することも求められます。そして，こうした努力が教師や大人の一方的な思いこみで進められたりしないように，子どもの声を聴き，子どもとともに学校をつくることの大切さを，シューレ中学校だけでなく，「子どものための学校」を求める数々の挑戦が教えてくれています。

「子どもとともにつくる学校」へ
▶ 生徒が主人公となる学校づくり

　多くの子どもにとって，学校とは楽しいところであると思います。でも，こんなところが変わったら，もっと学校へ行くのが楽しくなるかも，勉強も楽しくなるかも，と思うことがあるかもしれません。

　私たちの学校を「子どものための学校」にするために，このようなちょっとした違和感や意見を遠慮せずに表明でき，話し合えることが必要でしょう。

WORK⑩　あなたが考える理想の学校とは？　あなたも，こんなところが変わったら，

もっと学校に行きたくなるのにとか，楽しく勉強できそうだな，と思ったことがありますか。もしあったら，思い出して，その内容を書き出してみましょう。そして，できたら，他の人と書き出したものを交換して，内容について話し合ってみてください。

　普通の学校でも，「子どものための学校」づくりが行われています。たとえば，和歌山県清水町（現・有田川町）の白馬中学校（2003年当時）では，生徒会が中心になって，全校生徒に「学校をよくするための要求と提案」アンケートを実施しました。すると，150を超える項目が寄せられました。それらの要望は教職員によって受けとめられ，職員会議で議論された結果を校長が生徒総会で1つひとつ丁寧に回答しました。その結果，要望が実現する形で扇風機が設置されたり，校則の内容を検討する校則検討委員会が発足しました（和歌山県国民教育研究所子どもと学校づくり研究班，2003）。また，白馬中学校では生徒会執行部が「生徒が自由にできる1日」を企画して，みんなで映画を観たり，ゲームをして楽しみ，運動場で焼肉パーティをする「ほっとデー」を実現しました。「気分的にほっとする日」と「みんながホットに盛り上げる日」という二重の意味を込めて，生徒たちが「ほっとデー」と名づけました。白馬中学校でこうした生徒参加の学校づくりが可能になったのは，まず教職員が「何でも言っていいから，遠慮せずに要望を出していいよ」と生徒たちに伝え，実際に出されてきた要望には誠実に耳を傾けることで，生徒たちに「一人前の人間として接してくれている」という安心感を与えたからでしょう。
　「子どものための学校」をつくるには，保護者や地域住民の参加も必要です。今日多くの学校で取り組まれている学校支援活動や，学校評議員あるいは学校運営協議会委員としての学校運営への参加なども，そうした視点から進めることができます。また，長野県辰野高等学校など，いくつかの学校で行われている三者協議会や地域学校フォーラムなども，生徒，教職員，保護者，地域が対話と相互理解をベースとして，学校を「子どものための学校」，さらには「子どもとともにつくる学校」へと一歩ずつ近づけていく挑戦といえるでしょう。

Column ⑭　いじめのない学校

　2013年6月，大津市中学生いじめ自殺事件を受けて，「いじめ防止対策推進法」が成立しました。この法律は「児童等が安心して学習その他の活動に取り組むことができるよう，学校の内外を問わずいじめが行われなくなるようにすること」（3条1項）を基本理念としています。そして，「児童等は，いじめを行ってはならない」（4条）との宣言に続けて，国，地方公共団体，学校および学校設置者，保護者について，いじめ防止といじめへの対処に関するそれぞれの責務を規定しています。同法の施行を受け，各学校では，いじめ防止の「基本方針」を策定したり，いじめ早期発見のためのアンケート調査や相談体制の充実などが取り組まれています。

　いじめのない学校は，みんなが望む学校であり，ほかならぬ子どもたち自身の強い願いでしょう。しかし，法律の条文を読む限り，子どもはもっぱら「全ての教育活動を通じた道徳教育及び体験活動」や「いじめを防止することの重要性に関する理解を深めるための啓発」の受動的対象にとどまっている印象があります。予防や対応のさまざまな取り組みを進めるにあたって，もっと子どもの声が反映されたり，子どもが当事者として参加するというようなことがあってもよいかもしれません。

　現在，インターネット，ソーシャル・ネットワーク・サービス（SNS），LINEなどをきっかけにして起きるいじめや人権侵害に，少なくない数の子どもが悩み，傷つき，苦しんでいます。こうしたものをただ危険だから禁止・制限するという姿勢ではなく，子どもたち自身が大人と一緒に問題の解決を考え，実行する力をつけていくことができるよう支援することが必要でしょう。学校では，学級会や委員会，児童会・生徒会などの主体的な活動も期待されます。

SUMMARY

　近代の学校は，もともと国民統合や経済発展という国家目的を達成するためにつくられました。しかし，その後現在に至るまでの歴史のなかでは，子どもの自主性・創造性や興味・関心を尊重し，学習の個別化や人間化を実現しようと，児童中心主義や進歩主義の立場から，さまざまに「子どものための学校」づくりが試みられてきました。また，公的な学校制度の外側に「子どもの居場所」としてのフリースペース・フリースクールがつくられてきました。現在，日本では，この「子どもの居場所」づくりの経験を，学校制度内部の「子どものための学校」に生かしていこうという動きもみられるようになっています。

　このような歴史や経験から学びながら，保護者や地域住民とも協働して，私たちの学校を子どもとともに「子どものための学校」にしていくことが求められています。

さらに学びたい人のために　　Bookguide

浦野東洋一他編『校則，授業を変える生徒たち――開かれた学校づくりの実践と研究』同時代社，2021年

デューイ，J./宮原誠一訳『学校と社会』岩波文庫，1957年

奥地圭子『子どもをいちばん大切にする学校』東京シューレ出版，2010年

宮下与兵衛著/浦野東洋一解説『学校を変える生徒たち――三者協議会が根づく長野県辰野高校』かもがわ出版，2004年

引用・参考文献　　Reference

デューイ，J./宮原誠一訳（1957）『学校と社会』岩波文庫

和歌山県国民教育研究所子どもと学校づくり研究班（2003）『白馬中学校調査報告書子どもの声を生かした学校づくり』和歌山県国民教育研究所

CHAPTER

第 8 章

学校では何を学ぶの？

INTRODUCTION

あなたには「なんで，算数なんか勉強しなければならないの？」と思った経験はありませんか。「算数は嫌いだけど，体育は好きだから，ずっと体育の時間だったらいいのに」と思ったかもしれませんね。

だれにでも好きな勉強と苦手な勉強があるでしょうが，学校では自分の好きなことばかり学ぶことはできないようになっています。では，私たちが学校で学ぶ内容は，どのように決められているのでしょうか。

この章では，学校で私たちが学ぶ内容を表す教育課程やカリキュラムについて，考えてみましょう。

KEYWORDS

教育課程　学習指導要領　ゆとり　ゆとり教育　学校週5日制　生きる力　総合的な学習の時間　全国学力・学習状況調査　脱ゆとり教育　確かな学力　主体的・対話的で深い学び　顕在的カリキュラム　潜在的カリキュラム（隠れたカリキュラム，ヒドゥン・カリキュラム）　ジェンダー　男性稼ぎ手モデル　ワークライフバランス　道徳性　コールバーグ　修身　公民的資質　愛国心　道徳の教科化　特別の教化　特別活動　経験主義　系統主義　自主的・自治的活動　シティズンシップ教育　クリック　政治リテラシー　公共　主権者に求められる力

1 学校で学ぶことはどう決められているの？

> **QUESTION**
> 学校の時間割表を思い出してみてください。国語，社会，算数（数学），理科，音楽，図画工作，美術，家庭，技術，体育，英語などの教科がずらっと並び，その他にも総合的な学習の時間，道徳，特別活動（学級会，ホームルーム）などがあったでしょう。このような教科などの名称や内容は，どの学校もだいたい同じで変わりません。その仕組みは，どうなっているのでしょうか。

教育課程と学習指導要領

　日本では，学校における教育の目標・内容・方法を包括的に意味する公式用語として教育課程が使われています。全国の学校の教育課程がだいたい同じようになるのは，次のような仕組みになっているからです。

　まず，教育課程の構成要素と，それぞれに費やされるべき標準授業時数が法規で決められています。小学校を例にすると，国語をはじめとする10教科と「特別の教科　道徳」，外国語活動，総合的な学習の時間，特別活動が教育課程を構成します。授業時数は，たとえば国語であれば，45分を1単位時間として，第1学年で306時間，第6学年で175時間というように定められています。そして，各教科など教育課程の構成要素の目標・内容・方法を具体的に示しているのが，文部科学大臣が告示する学習指導要領です。各学校では，このような法令や学習指導要領の規定に則って教育課程を編制することが求められている

のです（⇨第6章）。

　ただし，法令や学習指導要領がそのまま教育課程ではないことには気をつけておきましょう。それぞれの学校では子どもたちの心身の発達段階や特性，地域や学校の実態を十分考慮して適切に教育課程を編制しなくてはならないと，学習指導要領に明記されています。さらに，教育課程が実際に行われている授業や指導そのものでもありません。授業や指導は，学校単位で編制される教育課程をもとにしながら，教師によって，子どもの発達と学習の必要にとって相応しいものになるよう計画されているのです。

　私たちは，学習をとおして自己の認識や行動を変化させたり，新しい知識や技能を獲得していきますが，その過程は教師や仲間との相互作用であり，変化に富む「生き物」のようなものです。したがって，法令や学習指導要領はいうまでもなく，学校単位で編制される教育課程も，授業や学習のすべてをあらかじめ計画することはできないのです。

　そうはいっても，学校で私たちが学ぶ内容が法令や学習指導要領によって枠づけられていることは間違いありません。学習指導要領は，社会の変化，学問研究の発展を反映して，約10年おきに改訂されてきています。現在の学習指導要領は，2017年3月に告示され，小学校では2020年度から，中学校では2021年度から全面実施されています（高等学校は，2018年3月に告示され，2022年度入学生から年次進行で実施）。次に，現在に至るまでの学習指導要領改訂の歴史を簡単にふりかえってみましょう。

詰め込みの反省からゆとり教育へ

　学習指導要領は，1947年にあくまでも学校が自主的に教育課程を編制するに際しての「参考」という位置づけで「試案」としてつくられて以来，何度も改訂されてきました。その途中，1958年の改訂以降は，「参考」から「従わなくてはならないもの」へと性格が変更されました。また，1970年代までは科学技術の発展や高度経済成長を背景にして，学習内容の増加と高度化が進められてきました。しかしやがて，「詰め込み教育」が「落ちこぼれ」を生み，校内暴力，いじめ，不登校などの問題の一因になっているとの批判がなされるようになり，1980年代の学習指導要領では教育内容と授業時数が減らされ，「ゆ

とり」ということばが登場しました。

1990年代になると，「ゆとり教育」の推進にますます拍車がかかりました。教育内容と授業時数の削減がさらに進められ，公立学校では1992年度から部分的に土曜日が休業日とされました（学校週5日制）。1996年に文部（当時）大臣の諮問機関である中央教育審議会がまとめた答申が，ゆとりのなかで「生きる力」を育むことを目標に掲げたことを受け，知識重視の教育を見直し，児童・生徒がみずから課題をみつけ，みずから学び，考え，主体的に判断し，問題を解決する能力を育てることをねらいとする総合的な学習の時間が2000年度にはじまりました。さらに2002年度からは完全学校週5日制と，教育内容と授業時数を大幅に削減した学習指導要領が実施されました。

脱ゆとり教育

ところが，早くも2000年頃から，「ゆとり教育」に対する批判が強まるようになりました。まず，大学の新入生の学力低下を指摘する声があがったのに続き，OECD（経済協力開発機構）のPISA（国際学習到達度調査）やIEA（国際教育到達度評価学会）のTIMSS（数学・理科教育動向調査）において日本の成績の低下傾向がみられたことで，「ゆとり教育」が学力低下を招いているとの批判がなされるようになりました。学力低下は実際に生じているのか，また，「ゆとり教育」がほんとうに学力低下の原因なのかについては意見が割れましたが，結局，2007年に中央教育審議会が30年ぶりとなる教育内容・授業時数増の方針を示すに至りました。同じ年からは，子どもたちの学力と学習状況を把握・分析して，教育施策と教育指導の検証・改善に役立てることを目的に，小学校6年生と中学校3年生全員が参加する全国学力・学習状況調査もはじまりました。

このような「ゆとり教育」からの転換をマスメディアは「脱ゆとり教育」と呼びました。2008年3月に公表された学習指導要領は，「生きる力」を育むという基本理念は変わらないとしつつ，基礎的・基本的な知識・技能の確実な定着とそれらを活用する力（思考力・判断力・表現力）の育成をはかるとしています。目立った変更点として，確かな学力を子どもたちに身につけさせるため，必要な授業時数の確保をはかるとして，国語，社会，算数（数学），理科，英語（外国語），体育（保健体育）の授業時数を小学校で350時間程度，中学校で

400時間程度増やしました。ほかにも、グローバル化への対応として、小学校の高学年で外国語活動を週1時間程度実施することとしたことが注目を集めました。

このような流れを受けて、現在の学習指導要領は、「知識及び技能」「思考力、判断力、表現力等」「学びに向かう力、人間性等」という3つの柱に即して、教科等の目標や学習内容を整理して示しました。子どもたちが討論やグループ活動を通じて課題の発見や解決を行う「主体的・対話的で深い学び」（アクティブ・ラーニング）の実現をねらいとして、授業改善に踏み込んでいることも特徴です。また、小中学校でプログラミング教育を必修化し、小学校5、6年生ではこれまでの外国語活動の代わりに外国語を教科化しました。高校では、地理歴史の新たな必修科目「歴史総合」で近現代の日本史と世界史を総合的に学び、公民の必修科目「公共」には主権者教育などが盛り込まれました。数学と理科の知識や技能を総合的に活用することをねらいとして設置された教科「理数」や総合的な学習の時間に代わる「総合的な探究の時間」だけでなく、小中学校と同様、全教科を通じて探究的な学習や課題解決学習が強調されています。

WORK⑪

学習指導要領を読んでみよう 現在の学習指導要領は、冊子体のほか、文部科学省のHPでも全文が閲覧できます。ぜひ一度は目をとおして、本文にあげた以外にも、どんな特徴があるか調べてみましょう。

社会的課題への対応

2011年度に小学校5、6年生を対象に始まった外国語活動は、2020年度から3、4年生が対象となり、5、6年生は英語（正式名称は「外国語」）を教科として学ぶことになりました。その目標は、外国語を聞く、読む、話す、書く活動をとおして、主体的に外国語でコミュニケーションをはかる基礎となる資質・能

---

note

★ 授業改善の柱の1つに、ICTの活用があります。小・中学生1人1台端末と高速インターネット接続環境整備を掲げた政府のGIGAスクール構想は、2019年1月以来の全国的なコロナ感染拡大を受けて、予定を前倒しして2020年度末にほぼ達成されました。これを受けて、文部科学省は有識者会議を設け、デジタル教科書の2024年度からの本格導入に向けた検討を進めていますが、紙の教科書と比較したときの学習効果、心身の健康への影響、費用負担など、課題も少なくありません（⇒第11章 Column ⑰）。

Column ⓯　キャリア教育

　日本では，1990年代末頃からキャリア教育ということばが用いられはじめました。その背景としては，従来，学校で行われていた進路指導では，若年失業や非正規雇用の増加など雇用環境の変化に十分に対応できていないとの認識がありました。このような社会情勢の変化は，2000年代になるとさらに拍車がかかり，フリーター（「15～34歳の若年〔ただし，学生と主婦を除く〕のうち，パート・アルバイト〔派遣などを含む〕および働く意志のある無職の人」内閣府の定義）やニート（「学校に通学せず，独身で，収入を伴う仕事をしていない15～34歳の個人」内閣府の定義）が社会問題としてクローズアップされるに従い，キャリア教育の必要性がますます強く訴えられるようになりました。

　もともと，キャリア教育には，進路指導の不十分さとともに，生徒の勤労観や職業観にも課題があるのではないかということでスタートした面があります。しかし，単に意識や自覚の問題にとどめず，若者が職業をとおして生きるとはどういうことかを考えるとともに，しっかり自立して社会に参加できるよう，知識や技術を身につけることを支援することが，キャリア教育にほんらい求められている役割でしょう。

　現在，学校ではキャリア教育とされる多様な取り組みが行われていますが，なかでも一般的なのは，職場見学・職業体験です。こうした体験的活動をとおして，勤労観や職業観を育むとともに，自立支援のための取り組みにもさらに力を注ぐ必要があります。なお，職場見学・職業体験の実施には，事業主ら地域の協力が不可欠です。地域に支えられたキャリア教育が，自分の生活する地域を見直し，地域で仲間とともに生きることの意義について考えてみる契機となっていることもあります。

力を育成することとされています。これによって，現代日本社会が直面している諸課題の1つであるグローバル化への対応をはかろうというものです。

　このように，現代社会の直面する諸課題が多様化，深刻化するにつれてますます，そうした課題の解決が学校教育に期待されるようになっています。その結果，キャリア教育，環境教育，安全・防災教育，情報教育，消費者教育，食育，プログラミング教育など，学校で学ぶ内容に新しい要素が次々に付け加えられています。これらは小学校の外国語活動のように，週に何時間，必ず教え

なくてはならないと決められているものではありません。国語のような教科や道徳の一部に組みこんで教えるようになっていたり，総合的な学習の時間や特別活動を利用して実施されていたりしています。しかし，このような新しい学習内容の種類は，各教科，総合的な学習の時間，道徳，特別活動を足した数よりも多くなっているので，各学校では，ほんとうに必要な学習内容が何であるのかを見極めながら，統合的に教育課程を編制する必要が生じています。

ジェンダーの視点からカリキュラムをみてみよう

> **QUESTION**
> 教育課程や指導計画には，子どもたちに学んでほしいことが明示されています。でも，私たちが学校で学んでいることは，そのような意図的に計画された内容がすべてなのでしょうか。

顕在的カリキュラムと潜在的カリキュラム

実際には，教師が目的をもって計画した授業や指導の内容は，子どもが学んでいることの一部にすぎません。さらに，子どもは休み時間の友だちとの遊びや，授業場面以外での教師との交流からもたくさん学んでいます。このような子どもたちの学校における学習の総体をカリキュラムと呼びます。

カリキュラムのうち，学習が計画化・組織化されている部分を顕在的カリキュラムといいます。各学校で編制する教育課程や，教師の授業計画，指導案などはこれにあたります。一方，教師が意図したわけではないのに，多くの場合，子どもたち自身も無意識のうちに特定の知識・技術・価値を身につけてしまう働きを潜在的カリキュラム（隠れたカリキュラム，ヒドゥン・カリキュラム）と呼んで区別しています。

潜在的カリキュラムには，その非意図的・無意識的という性質から，規範や価値にかかわる学習が多くなるという特徴があります。たとえば，始業・終業のチャイムや時間割どおりに行動することで，時間は守らなければならないという規範を身につけることは，潜在的カリキュラムの一種であるといえます。

潜在的カリキュラムということばは，1970年代にアメリカの社会学者ジャクソン（Philip W. Jackson）によって，はじめて使用されました。例からもわかるように，潜在的カリキュラムには，社会で生活をしていくために必要な規範や価値を身につけるのに役に立つ面がある一方で，階級・階層，民族，人種，言語，ジェンダーなどにかかわる，平等とはいえない既存の社会秩序の再生産を助長しているとの批判が向けられることがあります。既存の社会秩序の維持，強化を意図して，目立たないように特定の知識や技能や価値を滑り込ませたカリキュラムを，特に「隠されたカリキュラム」ということもあります。

WORK⑫

潜在的カリキュラムにはどんなものがあるのか？　潜在的カリキュラムには，本文にあげた例以外にもいろいろなものがあります。どんなものがあるか考え，思いつくままに書き出して，リストをつくってみましょう。そしてできたら，他の人とリストを交換し合い，自分では思いつかなかった例について話し合ってみましょう。

ジェンダー化されたカリキュラム

　潜在的カリキュラムによって，知らず知らずのうちに身につけていく規範や価値の1つとして，ジェンダーにかかわるものがあります。ジェンダーとは，生物学的な性差ではなく，社会的に構築された性差のことを意味します。たとえば，女性社員が男性社員にお茶を淹れるという，いまでも日本企業の始業時にみられる風景は，ジェンダー役割規範にもとづくものです。お茶を淹れることが女性社員の職務とされているのではないにもかかわらず，「男（の子）らしさ」「女（の子）らしさ」という社会的につくられた価値の物差しをあてはめて，このような役割分担を自然なものにみせてしまうのがジェンダー役割規範の働きなのです。私たちは，このような「男（の子）らしさ」「女（の子）らしさ」を知らず知らずのうちに学校で学んでいることがあります。

　さらに，ジェンダーに注目すると，潜在的カリキュラムだけではなく，顕在的カリキュラムについても興味深い事実がみえてきます。

　たとえば，家庭科は現在でこそ男女がともに学ぶ教科ですが，男女の特性を考慮してという理由から，1958年告示の学習指導要領から約30年間，男子は「技術」，女子は「家庭」を別々に学んでいました。高等学校では，女子だけが

2　ジェンダーの視点からカリキュラムをみてみよう　●117

家庭科が必修とされていました。また、保健体育科でも男女別の学習内容が規定され、女子が家庭科を学んでいる間、男子は体育科の授業を余計に多く学んでいました。

そもそも、戦前の学校教育は、小学校低学年以降になると男女別学が基本であり、学ぶ内容も異なっているのが当然でした。高等教育機関への女性の入学は、原則的に認められていませんでした（図6.1）。この男女差別を大きく転換したのが戦後教育改革であり、男女平等を実現するために男女共学が原則となり、女性にも大学で学ぶ道が開かれたのです。そのなかで、男子と女子がともに家庭生活について学ぶことが家庭と社会の民主化を実現することにつながると考えられ、家庭科の男女共修がはじまりました。それは同時に、家事・裁縫を中心とした戦前の家庭科からの学習内容の転換を伴うものでした。

しかし、男女が家庭生活の平等な担い手として育つための学習という、新しい家庭科の理念は、あまり長くは続きませんでした。1960年から70年代前半にかけての高度経済成長期には、男性が働き、その収入によって家族を扶養し、女性は家庭で家事・育児を担うという「男性稼ぎ手モデル」が、日本型企業社会に適合的な社会モデルとして一般化し、それに合わせて学校での学習内容もジェンダーによる区別が行われるようになったのです。

ジェンダーを学ぶカリキュラム

この男女による学習内容の違いが取り払われたのは、1989年の学習指導要領改訂によって、中学校の技術・家庭科、高等学校の家庭科が男女共修化され、保健体育でも男女別規定がなくなってからです。この変化の背景には、1985年に日本政府が国連の女性差別撤廃条約を批准するなど、戦後二度めとなる男女平等の社会的気運の高まりがありました。

現在の学習指導要領には、家庭科（中学校は、技術・家庭科）、保健体育科ともに、明示的な男女別規定はありません。しかし、選択という形で、学習内容

を性差にもとづいて実質的に区別することはできるようになっています。ジェンダーの視点に立つと，「男女で，学ぶ内容に違いがあってもいいの？」という問いも浮かび上がってきます。男女で教育を受ける機会や学ぶ内容に差異を設けることの理由として，生物学的な性差があげられます。しかし，生物学的な性差のある側面を誇張したり，ほんらいは社会的規範であるもの

を生物学的な性差であるように見なしてはいないだろうか，と考えてみる必要があるでしょう。

　社会的規範は，固定的なものではなく，社会構造とともに変化していく可能性をもつものです。事実，かつての日本社会には適合的であった男性稼ぎ手モデルは，共働き家庭の増加にみられるように，今日の現実にはあてはまらなくなっています。社会的課題への対応を目的として，むやみやたらに新しい学習内容を追加することには慎重であるべきですが，未来を生きる世代が子育てや介護など世代間関係の問題を含む家族・家庭の在り方，ワークライフバランスなどの働き方の問題，男女の関係の在り方，性の問題などを学習することは必要でしょう。ジェンダーにかかわる問題は，私たちの身近にもたくさんあります。すでに，家庭科や保健体育科だけでなく，社会，理科，国語，総合的な学習を使って，子どもたちのジェンダーに関する深い学びを成立させている実践は少なくありません。

道徳や特別活動は何のためにあるの？

> **QUESTION**
> 「学校では何を学ぶの？」と問われると，つい国語や算数などの教科や総合的な学習のことばかり考えてしまいがちです。でも，時間割表には，道徳や特別活動の時間

もあります。こうした教科以外の教育課程では，何を学ぶのでしょうか。いったい，何のためにあるのでしょうか。

道徳性の発達

道徳教育の目的は，子どもたちの道徳性の発達にあるといえるでしょう。しかし，そもそも，この道徳性をどうとらえるかということがたいへんに難しいもので，いろいろな考え方があります。

たとえば，アメリカの心理学者コールバーグ（Lawrence Kohlberg, 1927-87 年）は，道徳性をものごとの善悪にかかわる判断や行動の基準ととらえました。そして，①行動の結果もたらされる報酬や罰にもとづく「前習慣的段階」，②他者への配慮や社会的規範，法律などにもとづく「習慣的段階」，③個人に内面化された原理にもとづく「脱習慣的段階」という順を経て道徳性は発達するという理論を唱えました。このコールバーグの理論は，1970 年代くらいまで広く支持されましたが，やがて，善悪の判断に重きを置きすぎている点に修正が加えられるようになり，現在では他者に対する配慮，思いやり，ケアといったことも道徳性の重要な要素であると考えられるようになっています。

このような道徳性の発達につながる学習は，教科や総合的な学習の時間でも十分に可能であることがわかるでしょう。たとえば，国語で文学的作品を解釈し合う場面が考えられます。したがって，道徳の学習は，カリキュラム全体を通じて行われるべきものともいえるのですが，教科には教科固有の学習目標もあるので，特別に道徳学習の時間が設けられるようになっています。

戦前の日本の学校では，道徳教育としては「修身」という科目が設けられ，忠君愛国が最重要な徳目として注入的に教えられていました。その結果として国家主義・軍国主義に対する十分な批判意識を欠いた国民道徳が形成されたことを反省して，戦後しばらくの間，道徳教育は社会認識と社会行動・態度を統一的に育てることにより，公民的資質の育成をはかることを目的として新しく設けられた社会科を中心に行われることとされ，独立した教科ではありませんでした。しかし，東西冷戦の激化という国際情勢のもとで，国民の愛国心の涵養を求める声が主に保守層から強く唱えられるようになり，激しい社会的論争

を経て、1958年の学習指導要領改訂の際、「道徳の時間」が設けられたのです。

　愛国心の涵養を教育の目標とすべきかどうかは、2006年の教育基本法改正の際にも再び論争を引き起こしました。結果的に、教育基本法には「我が国と郷土を愛する」日本人の育成という教育の目標が加えられましたが、それ以降も、愛国心教育を中心に据えた道徳教育をもっと徹底すべきだという主張が唱えられました。その後、2011年10月の滋賀県大津市中学生いじめ自殺事件を受けて、当時の安倍晋三首相が設置した教育再生実行会議が「いじめ防止対策推進法」（⇨第7章 Column ⓮「いじめのない学校」）の制定などとともに、「道徳の教科化」を提言したことを受けて、2015年3月、学習指導要領が一部改訂され、道徳が「特別の教科」になりました。これにより、教科書を使用した授業が小学校では18年度から、中学校では19年度からはじまっています。通常の教科と異なり、評価は数値ではなく記述式で行われます。

　現在の小学校学習指導要領では、「特別の教科　道徳」の目標が、「自己を見つめ、物事を多面的・多角的に考え、自己の生き方についての考えを深める学習をとおして、道徳的な判断力、心情、実践意欲と態度を育てる」と書かれています。また、物語の登場人物の心情を読み取ることが中心となるような道徳の授業が批判的にとらえられ、「考える道徳」への転換をはかるとされています。コールバーグも、子どもが実際に自主的に判断や推論を行うことをとおして道徳性は発達すると考えました。学習指導要領は、道徳の授業において、正直・誠実、親切・思いやり、感謝、礼儀、国や郷土を愛する態度などの項目を扱うこととしていますが、それらを徳目的・注入的に教えるような授業であってはなりません。

公民的資質の育成

　特別活動は、学級会、委員会、クラブ、児童（生徒）会などを自主的・自治的に運営する経験と学習をとおして、子どもたちの民主主義社会の形成者としての資質を養うことを目的として、戦後になってはじまったものです。戦前の学校でも、このようなことは行われてはいましたが、教育課程外の活動として位置づけられ、親睦を深めることやレクリエーションが主な目的でした。それが、戦後になって「民主社会のよい市民としての性格や態度」の育成という教

育的目的をもった，教育課程の一部として位置づけられたのです。同じく戦後に誕生した新しい教科である社会科とは，公民的資質の育成という共通の目的をもっていました。

最初の学習指導要領が作成された終戦直後の社会科では，単元学習による経験をとおしての学びがめざされていましたが，やがて，その経験主義が学力低下の原因であるとする批判が強まり，知識の系統的な学習を重んじる系統主義への転換が行われました。そのことにより，特別活動の社会的行動・態度の学習としての重要性が強められてもよかったはずです。しかし，実際には，1960年代以降，特別活動は教科では担いきれない多種多様な学習内容をカバーするようになり，その反面，自主的・自治的活動を通じての公民的資質の育成という性格は弱められて，今日に至っています。

シティズンシップ教育

主体的な判断や推論をとおして善悪の判断基準を学習したり，自己と他者をともに尊重する道徳性を育むことや，自治的な活動の経験と学習をとおして民主主義社会の担い手を育てることは，私たちが学校で学ぶ内容として，いずれも重要だといえるでしょう。近年，このような道徳教育と特別活動がほんらいめざしている学習を，社会科をはじめとする教科の内容とも統合するような形で生み出そうという新しい動きとして，シティズンシップ教育が注目されるようになっています。

シティズンの辞書的意味は，公職に関する選挙権・被選挙権をもち，政治に参加する市民社会の構成員のことであり，シティズンシップはそのような構成員としての資格や身分を指すことばです。今日のシティズンシップ教育においても，社会の主体的な形成者としての資質，能力，態度の涵養を目的としている点で，シティズンのもともとの意味を保持してはいます。しかし，かつてのような民族，文化，言語などの面での均一性を前提とした社会ではなく，現代のはるかに複雑化した，多文化社会が意識されている点に特徴があるといえます。

イギリスの政治学者，クリック (Bernard Crick, 1929-2008 年) は，シティズンシップ教育の内容として，①社会的道徳的責任，②共同体への参加，③政治

リテラシーをあげています。そして，国民としての義務や道徳を強調したり，ボランティア活動や奉仕活動への参加が中心となるようなシティズンシップ教育ではなく，「能動的な市民」を育てるシティズンシップ教育とするために，政治リテラシーの重要性を唱えています。クリックは，政治リテラシーとは，知識と技術と態度の複合体であるといっています。そして，政治リテラシーが身につくと，政治問題についての異なる意見を整理することができ，他者の意見や価値観を尊重しながら，自分自身で判断して，行動できるとされています。イギリスでは，2002年から中等教育段階の教育課程にクリックの提案にもとづくシティズンシップ教育が位置づけられています。

　クリックの政治リテラシーは，政治問題にかかわる認識と行動に焦点を置いたものになっていますが，自分とは異なる価値観や意見をもつ他者と協働的関係を築きながら，自律的に判断し，主体的に行動する能力は，政治に直接かかわる場面に限らず，地域，職場，家庭などあらゆる場面で求められるものでしょう。日本では，一部の自治体や学校においてシティズンシップ教育の先導的，実験的な取り組みが行われてきました。現在の学習指導要領においても，高校の新設科目「公共」をはじめ，社会科を中心としつつ，教科横断的に「主権者に求められる力」の育成をはかることとされています。選挙権年齢，成年年齢の18歳への引き下げ（それぞれ，2016年6月と2022年4月より）が，こうした動きの背景にあります。もちろん，それぞれの取り組みによって，その目的・理念，内容，方法はまったく同じというわけではないでしょう。そこには，シティズンシップ教育とひとくくりにできないほど大きな違いがあるかもしれません。また，市民となるための積極的な学習（active learning for citizenship）であるはずのシティズンシップ教育が，ただの奉仕活動や形骸化したボランティア活動になっている例もあるかもしれません。しかし，そのような差異や課題にも留意しながら，現代社会におけるシティズンシップ教育の必要性や意義を考えてみる価値は十分にあるでしょう。

WORK⑬

あなたにとっての未来（理想）のカリキュラムとは？　シティズンシップのほかにも，私たちが学校でもっと積極的に学んだほうがよいことがあるかもしれません。あなたが考える未来（理想）の教育課程，カリキュラムとはどのようなものです

か。できたら、ほかの人と話し合ってみましょう。

SUMMARY

　学校での学習は、法規や学習指導要領に則って編制される教育課程や指導計画によって枠づけられています。しかし、私たちが学校で学んでいるのは、そのように意図された内容だけではありません。たとえばジェンダー規範を知らず知らずに身につけてしまうという潜在的カリキュラムもあるのです。また、私たちは、国語や算数のような教科だけでなく、道徳や特別活動をとおして、道徳性や公民的資質といわれるものも学んでいます。

　「学校では何を学んでいるの？」をきちんと理解することは、「学校では何を学ぶべきか？」を考えることへとつながっていきます。本章では、ジェンダーやシティズンシップについて、もっと積極的に学ぶようにしてはどうかという問題提起もしました。みなさんにも未来（理想）の教育課程、カリキュラムを考えてみてほしいと思います。

さらに学びたい人のために　　　　　　　　　　　　　　　Bookguide

クリック, B./関口正司監訳／大河原伸夫・岡崎晴輝・施光恒・竹島博之・大賀哲訳『シティズンシップ教育論——政治哲学と市民』法政大学出版局, 2011年

河野哲也『道徳を問いなおす——リベラリズムと教育のゆくえ』ちくま新書, 2011年

佐藤学『カリキュラムの批評——公共性の再構築へ』世織書房, 1996年

CHAPTER

第 9 章

よい先生ってどんな先生？

INTRODUCTION

　あなたにとって「よい先生」とは，どのような先生ですか。博識で教養のある教師ですか。人間として魅力のある教師ですか。授業の教え方がうまい教師ですか。それとも，子どもの人生に寄り添い，子どもとともに学び合うことを大切にしてくれる教師ですか。

　今日，学校の教師には質の高い専門性が求められるといわれています。教師という仕事に求められる高度な専門職性とは何でしょうか。そのコアとなる資質や能力とは何でしょうか。それをあなたらしく身につけるために何が求められているのでしょうか。この章では，これらの問いを考えてみたいと思います。

KEYWORDS

学制　師範教育　開放制の免許制度　教員の資質能力　初任者研修　ライフステージ　質保障　教員免許更新制　教職実践演習　教職大学院　修士レベル化　高度専門職業人　養成・採用・研修の一体的改革　キャリアステージ　チーム学校　教員育成指標　教職課程コアカリキュラム　教員の地位に関する勧告　リーバーマン　ジェームズ・リポート　学問の自由　バーンアウト　働き方改革　教師のコンピテンシー　研究的実践者

1 あなたが抱いている教師像は？

　北欧のフィンランドには，学校の教師たちを「国民の蠟燭（ろうそく）」と呼ぶ慣習があります。そこには「民衆」に知をもたらす蠟燭という意味と，その人びとが暮らすコミュニティに灯りをもたらす蠟燭という２つの意味が込められているといわれています。暗闇のなかで灯りをともし，新たな叡知へといざない，地域のなかで困難の多い人生に伴走してくれる存在としての教師であってほしい。このような願いを込めて，フィンランドの人びとは，教師を「国民の蠟燭」と象徴的に表現しているようです。あなたは，いま，日本の教師をどのようなイメージでみつめていますか。

WORK ⑭

　教師像をとらえ直す　　はじめに，あなたが抱いている教師像をとらえ直してみましょう。
　① あなたは，どのような先生が好きでしたか？
　② あなたは，どのような先生を尊敬していましたか？
　③ あなたは，どのような先生になりたいですか？
　それぞれの問いについて，あなたの具体的なイメージをいくつか思い描いてみてください。その後に「よい先生」ということばを中心トピックにして，あなたのマインド・マップを作成してみてください。

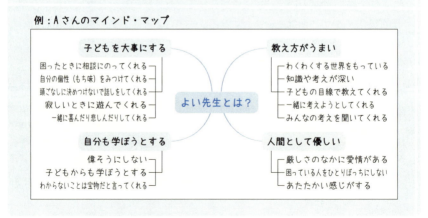

例：Ａさんのマインド・マップ

2 日本の教員養成制度の歩み

> **QUESTION**
> 教育学の世界で，特に教員養成や教師教育の歴史のなかで，「よい教師」はどのようにイメージされ，どのような環境で育てられてきたのでしょうか。

師範学校から戦後の教員養成へ

　1872年に，「学制」が公布されました。その4年後の1876年には全府県に教員養成機関が設立され，現職教員の再教育も行われるようになりました。1880年には，「改正教育令」にもとづいて，公立師範学校の設置が義務づけられました。その翌年の1881年には「師範学校教則大綱」が制定され，師範教育（教員養成・教師教育の前身となる制度的基盤）が整備されました。

　1886年には，「師範学校令」が制定され，そこでは教員の資質として，「順良・信愛・威重（いちょう）」という3つの気質が記されました。この3つの気質論には，初代文部大臣の森有礼の考え方の影響があるといわれています。日本の急速な近代化と富国強兵政策のもと，森は，「教育」と「学問」を分離する原則を打ち出しました。教育は「護国ノ精神，忠武恭順ノ風」を国民にうえつける機能を担うものと位置づけられ，教師には，学問的知識の探求的な媒介者であるよりも，国家主義的人格の体現者であることが求められました。そのため，日本の多くの教師たちは，国家・政府への忠誠を誓わされ，国家権力に恭順な人格であることを求められるようになりました。その後，日本は軍国主義の道を突き進み，痛ましい戦争の惨禍を経験しました。

　戦後の教員養成は，国家・政治権力に翻弄された戦前の歴史への深い反省のうえに構想されていきました。1946年，アメリカ教育使節団は，教員養成は大

---
note

★　師範学校令1条では，「師範学校ハ教員トナルヘキモノヲ養成スル所トス。但生徒ヲシテ順良信愛威重ノ気質ヲ備ヘシムルコトニ注目スヘキモノトス」と規定されている。

学が行うべきであると勧告し,翌年の1947年に「学校教育法」が制定されると,旧制の教員養成学校は廃止され,教員養成は一般大学で行われることになりました。1949年,「教育職員免許法」が制定されると,大学で一定の単位を修得すれば,だれでも教員免許を取得できる開放制の免許制度が整備されました。

このように戦後日本の教師教育は,戦前の閉鎖的で画一的な師範教育への厳しい反省に立ち,より広い視野と高度な知識(学問)を身につけた教員を養成することをめざして,「大学における教員養成」「開放制」「免許状主義」という3つの原則を確認して再出発したのです。

教員の資質能力の明示化

1958年に,中央教育審議会(中教審)は,教員養成を目的とする大学を設置すること,一般の大学の卒業者で教職教育を欠いている者に対し教員資格を付与するための「国家検定試験制度」を設置することなどを提案しました。1972年,教育職員養成審議会(教養審)が「教員養成の改善方策について」を建議し,1年程度の実地訓練,初任者研修の段階実施,現職教員の研修を目的とする新構想大学院の創設などを提案しました。1973年には,「教育職員免許法」が改正され,広く一般社会に人材を求め,教員の確保をはかるために,教員資格認定制度が法制化されました。

1987年,教育職員養成審議会は「教員の資質能力の向上方策等について」を答申し,教員については次のような資質能力が必要であると例示しました。

① 教育者としての使命感
② 人間の成長・発達についての深い理解
③ 幼児・児童・生徒に対する教育的愛情
④ 教科等に関する専門的知識,広く豊かな教養
⑤ これらを基盤とした実践的指導力

このように教員の資質能力に関する要件が例示されるなか,1988年,「教育公務員特例法」が改正され,初任者研修が法制化されました。同年,「教育職員免許法」も改正され,従来の「普通免許状」が,1種免許状,2種免許状,専修免許状に区分されるようになりました。また,特別免許状も新設されまし

た。

1997年,教育職員養成審議会は「新たな時代に向けた教員養成の改善方策について(第1次答申)」のなかで,今後の教員に求められる具体的な資質能力を,次の3つの要素に整理しました。

① 地球的な視野に立って行動するための資質能力
② 変化の時代を生きる社会人に求められる資質能力
③ 教員の職務から必然的に求められる資質能力

その翌年,1998年に「教育職員免許法」が改正され,「教職の意義等」「総合演習」などの科目が新設され,免許取得に必要な「教育実習」の単位も増加しました。また,その翌年の1999年,教員養成審議会の「養成と採用・研修との連携の円滑化について(第3次答申)」では,教員の各ライフステージに応じて求められる資質能力が,初任者の段階,中堅教員の段階,管理職の段階に区分して整理されるようになりました。

高度専門職業人養成システムの構想

2001年には,「国立の教員養成系大学学部の在り方に関する懇談会」(在り方懇)が報告書を提出しました。そこでは,教員養成のカリキュラムについて(学部レベルでの質保障や大学院修士課程の在り方について)の見直しが提起されました。そこでは,医学教育モデル・コア・カリキュラムのような教員養成に関する標準カリキュラムの構想も提示されました。

2005年には,中央教育審議会が「新しい時代の義務教育を創造する」を答申し,優れた教師の条件にかかわる要素として次の3つの観点を提示しました。

① 教職に対する強い情熱(教職への使命感,子どもへの愛情や責任感,学び続ける向上心など)
② 教育の専門家としての確かな力量(子ども理解力,児童・生徒指導力,集団指導の力,学習指導力など)

---
note

★ 特別免許状は,各都道府県内のみで効力を有し,有効期間は10年です。担当する教科に関する専門的な知識経験または技能を有し,社会的信望等をもつ社会人経験者等で,雇用者の推薦を受けた者に対し,教育職員検定を行い合格すると授与されるものです(教育職員免許法5条4項)。

③　総合的な人間力（豊かな人間性や社会性，常識と教養，コミュニケーション能力，同僚と協働する力など）

　その翌年の 2006 年に，中央教育審議会は「今後の教員養成・免許制度の在り方について」という答申を出しました。そこでは，10 年ごとの教員免許更新制，教職実践演習の新設，教職大学院の創設などが提案されました。2012 年に，中央教育審議会は，「教職生活の全体を通じた教員の資質能力の総合的な向上方策について」を答申し，教員養成を近い将来に修士レベル化し，教員を高度専門職業人として明確に位置づける方針を打ち出しました。そこでは，「一般免許状（仮称）」（修士課程修了レベル），「基礎免許状（仮称）」（学士課程修了レベル）の創設と，「専門免許状（仮称）」の創設も提起されました。

学び続ける教師像とチームとして協働する教師像

　2015 年には，教員の養成・採用・研修の一体的改革を推し進める視点に立ち，中央教育審議会は「これからの学校教育を担う教員の資質能力の向上について：学び合い，高め合う教員育成コミュニティの構築に向けて」という答申を出しました。この答申では，これからの時代の教員に求められる資質能力として，次の 3 点が強調されました。

① これまで教員として不易とされてきた資質能力に加え，自律的に学ぶ姿勢を持ち，時代の変化や自らのキャリアステージに応じて求められる資質能力を生涯にわたって高めていくことのできる力や，情報を適切に収集し，選択し，活用する能力や知識を有機的に結びつけ構造化する力
② アクティブ・ラーニングの視点からの授業改善，道徳教育の充実，小学校における外国語教育の早期化・教科化，ICT の活用，発達障害を含む特別な支援を必要とする児童生徒等への対応などの新たな課題に対応できる力量
③ 「チーム学校」の考えの下，多様な専門性を持つ人材と効果的に連携・分担し，組織的・協働的に諸課題の解決に取り組む力

また，教員が生涯にわたって学び続けるモチベーションを維持できるように，「教員の主体的な学びが適正に評価され，学びによって得られた能力や専門性の成果が，見える形で実感できる取り組みや制度構築」を進めることが必要だと指摘されました。
　これを受けて，2016年には「教育公務員特例法等の一部を改正する法律」を根拠として，各自治体において現職教師の発達段階（キャリアステージ）を描く「教員育成指標」のとりまとめが始まり，2017年には，教員養成段階の目標と内容を規定する「教職課程コアカリキュラム」が公表されました。

WORK⑮

教師の自己形成・育ちについて考える　このような歴史をふまえて，あなたは，よい教師像がどのように形成されつつあると思いますか。また，あなたが，よい教師をめざして育ち続けるためには，どのような環境が必要だと思いますか。その根拠も明確にしながら話し合ってみてください。

3　総合的な発達援助職としての教師

> **QUESTION**
> ところで，あなたは，教師という仕事は「専門職」だと思いますか。もしそうだとしたら，「専門性の高い教師」とは，どのような教師だと思いますか。

国際的な専門性基準

　一般に，専門職性とは，ある職業に固有な専門的性格のことを意味します。教師という職業に固有な専門職性はどのようなものでしょうか。一方，専門性とは，その職務の遂行に必要なより高度で探求的な知識・技能を意味しています。教職に必要な，より高度で探求的な知識・技能とはどのようなものなのでしょうか。国際的な規模で，教師の専門職性や専門性はどのように議論されてきたのでしょ

か。

　歴史をさかのぼると，1966 年，ILO・ユネスコの「教員の地位に関する勧告」がこの教師の専門性にかかわる基準をめぐる議論の重要な端緒となっていることがわかります。この「地位勧告」は，当時，決して高くなかった教員の経済的・社会的地位を，相対的に向上させることに重要な役割を果たしました。それだけでなく，この勧告は，その後の教員の専門性基準（professional standards）に関する大きなガイドラインを構想する「導きの糸」にもなっていました。

　第 2 次世界大戦後，特に 1947 年以降，子どもの教育権（教育を受ける権利）を保障するため諸条件が，国際的な規模で議論されました。1950 年代には，専門職の国際的な基準化が進められました。リーバーマン（Myron Lieberman）の『専門職としての教育』（1956 年）も，こうした機運のなかで注目されました。1971 年には，ジェームズ・リポートが公表され，教師教育を「生涯学習」として性格づけた専門職養成カリキュラムに関する指針が提示されました。教師という職業は，その生涯にわたって学び続ける環境が整えられるべき専門職だと国際的にも位置づけられるようになったのです。

　1966 年の「地位勧告」は，教員に求められる労働条件とともに，そこで実現されるべき専門性の内実を問うものにもなっていました。この勧告では，教員の「学問の自由」（アカデミック・フリーダム）が保障されなければならないこと，また，子どもの教育権を保障するために，教員の継続的研究，専門的知識や特別な技術が求められていること，そして教員にその専門性を支える「責任，創意，自律」が必要であることなどが明示されていました。

困難性と専門性

　その後，1981 年の地位勧告関連共同会議「教職条件に関する共同報告」では，国際的調査として教職のストレス問題が取り上げられました。1990 年代以降のグローバリゼーションや新自由主義的政策のなかで，子どもを取り巻く生活環境も著しく変化しました。経済的な格差の拡大や，子どもが育つ環境の貧困に伴う諸問題は，教師のアイデンティティをも揺さぶるような新たな問いを投げかけました（久冨，2008）。社会状況が急激に変化するなかで，さまざま

な困難を抱えざるをえない子どもも増えました。

このような状況のなかで，終わりのないケア・ワークや，学校管理における過剰なガバナンスの強化に伴う教職の困難性が問題化してきています（勝野，2014）。教師の職業的なストレスに起因する バーンアウト（燃え尽き：心因性鬱症状の一種で，仕事などに没頭してきた人が意欲を失う現象）が，国際的にも深刻な問題になってきているのです。2019年に，中央教育審議会は，「新しい時代の教育に向けた持続可能な学校指導・運営体制の構築のための学校における働き方改革に関する総合的な方策について」という答申を出しました。この答申では，「教師のこれまでの働き方を見直し，教師が日々の生活の質や教職人生を豊かにすることで，自らの人間性や創造性を高め，子供たちに対して効果的な教育活動を行うことができること」をめざす「働き方改革」の理念が共有されています（⇨第6章4節）。

21世紀に入り，教員養成の在り方や，教員に求められる専門性基準は，それぞれの国で多様に議論され続けています。しかし，教師が，自律した専門的職能集団として，学問の自由を保障されるべき存在であること，子どもが教育を受ける権利を保障するという普遍的な責任を担っていること，研究的実践者として，生涯にわたって学び続ける機会にひらかれるべき高度専門職業人であることは，理念として国際的なスタンダード（広く共有された基準）になりつつあるといえるでしょう。

教師に求められる学びの環境

> **QUESTION**
> 教師が，生涯にわたってその専門性を高めながら学び続けるためには，どのような環境が必要なのでしょうか。

以下，現職教員として大学院で学んだ経験のある教師の声を聴きながら考えてみましょう。

(1) **安心して不安に立ちどまれる環境**　まず，中堅の教師が，大学院で学び続けようという動機は，どのような経験から生まれてくるのでしょうか。ある小学校の教師（男性）は次のように語ります。

> 「自分が若いときは、とにかく子どもと一緒に遊ぶことで、子どもはついてくると思っていました。実際、一生懸命遊んだらついてきてくれることも多かったのです。ただ、授業の力がないと、子どもたちはついてきてくれないと思ったので、私も懸命に授業の力をつけるように研鑽を積みました。けれども、段々、それで良いのかということを考えるようになったのです。それまでは、私は、不安なんか感じたことが無いくらいに突っ走っていました。不安を感じたことが良かったのかどうかはわからないのですが、不安を感じたことによって、ほんとうに学びたいと思ったのです。」
> (庄井, 2008, 272頁)

不安など感じるまもなく走り続けていたときには気づかなかった学びへの動機は、みずからの不安に立ちどまるなかから自覚されるようになったと、この教師は語っています。不安がない日常よりも、安心して不安に立ちどまることができる環境のなかから、教師が自主的に学び続けることへの動機が生まれてくるということは傾聴に値することです。

(2) **子ども理解を深め合う環境**　では、熟練の教師が、大学院で学び続けようという動機は、どのような経験から生まれてくるのでしょうか。当時、特別支援教育コーディネーターの役割も担っていたある小学校の教師(女性)は、次のように語りました。

> 「私が大学院に入学したのは、50歳をもうすぐ迎えるときでした。それなりに実績も積んできたし、自分が言うことはすんなりと通ってしまうし、だれも私を変えてくれる人はいなくなってしまったように感じていました。そのときに、このままでは駄目だと思ったのです。もう1つは、子どもの困難を抱えている姿がすごく複雑になって、私が経験的に理解する範疇を超えてしまうような出来事がとても多くなって、もっと自分にそういう子どもを理解する力があって、その適切な援助の仕方がわかっていれば、きっともっと良い方向に行けるのではないか、というような思いがたくさん蓄積していたのです。」
> (庄井, 2008, 273頁)

この教師のように、多くの教職経験を積んでいてもなお自主的に学び続ける意欲をもち続けている姿に、高度な専門職業人としての教師像をみて取ることができます。経験を多く積んでいるからこそ、その問いや学びもますます深く

なっていく可能性を感じさせてくれるからです。また，この教師は，みずからの実践の質を高めていくために，子ども理解を深める学びへの切実なニーズを語っています。ベテランの教師であっても，子ども理解を深め合い，その支援や指導の豊かな可能性を発見し合える学びの環境が求められています。

(3) **発達援助の〈アート〉を磨き合う環境**　最後に，中堅としてみずからの実践的力量を高めたいと切実に願っていた高校の教師（男性）が，大学院で学んだ経験の語りを紹介します。

> 「教育職に就いた当初は，ある種の技法（テクニック）を一生懸命に勉強すれば何とかなるのではないか，と思っていたところがあったのです。でも，学校で生徒たちと接しながら，難しい場面であればあるほど，技法で何とかなると思うのは，とても浅はかな考えだったなということに気づいたのです。早く処理しなければならないというプレッシャーや，時間との戦いは今もあります。でも大学院に来て，事例や理論について語りあっていくなかで，この子がほんとうに語りたい，コアになる部分が必ずあるのだということを，すごく学んだような気がするのです。」
> 　　　　　　　　　　　　　　　　　　　　　　　　（庄井，2008，285頁）

教師として学び続けたいことは，対象を思いのままに操作するテクニックのようなものではなく，生きた人間と応答し合うアートのようなものだと，この教師は語ってくれました。それは，抽象化されたスキルの訓練で獲得できるようなものではなく，自分の経験を，自分のことばで語り合い，それを一般化しようと探索する学び合いのなかで修得できるものだとも語ってくれました。

今日，教育実践力向上のために，抽象的スキルの難易度による整序（熟練のグラデーションモデル）を構築しようという試みも数多く生まれています。しかし，そのようなスキルを伝達するだけで，いま教師に求められている高度な専門性は育つのでしょうか。むしろ，子どもの生きた現実に責任をもって応答できるような教師のコンピテンシーの探求，あるいは，生きて働く専門知識の探求が，教職にかかわる専門性を高めるためのガイドラインとして構造化される

必要があるのではないでしょうか。

　また，高度な専門職人としての教師が，研究的実践者（探究的実践者）として学び続けるためには，理論と実践を深く切り結ぶ環境が必要です。日々，子どもと出会い直し，文化と出会い直し，みずからと出会い直す〈現場〉で，臨床的な実践から学術的な理論を深め合い，学術的な理論を臨床的な実践で生かし合うことのできる環境が，教師に求められています。研究的な実践者と実践的な研究者とが，互いの痛みや困難を共有し，夢のある協働の仕事ができるかどうかが問われているのです。

SUMMARY

　いま，高度な専門職業人としての教師像が求められています。それは，決められた知識・技能の機械的な伝達者ではなく，「学問の自由」を保障された真理・真実の探究者としての教師像だといえます。それは，まるで「技のデパート」のように万能でスキルフルな教師像ではなく，新人でもベテランでも，弱さや未熟さを抱えながら，学び，成長し続ける探究的実践者（研究的実践者）としての教師像だといえるでしょう。

　OECD が提起しているように，いま，教師には，教育内容の専門性（学問・芸術や一般教養と専門教養の高さ），教育方法の専門性（教授法や指導法の巧みさ）に加えて，子どもの発達とその社会的背景に関する理解の専門性が求められています（OECD, 2001）。

　教科（文化）の専門性，方法の専門性，子ども理解の専門性——これらを具体的な実践の場で総合する教育的思慮深さをもった総合的発達援助職としての専門性が，近未来の「よい教師」になるために求められているのではないでしょうか。教職課程コアカリキュラムが公表され，現職教師のキャリアステージを描く教員育成指標も整備されました。新しい時代の教師には，これらの諸政策も自ら評価し，再構築していく高度専門職業人としての力量も問われているのではないでしょうか。

さらに学びたい人のために　　　　　　　　　　　　　　　　Bookguide

浅井幸子・黒田友紀・杉山二季・玉城久美子・柴田万里子・望月一枝編著『教師の声を聴く——教職のジェンダー研究からフェミニズム教育学へ』学文社，

2016 年

高野和子編著『教職原論(未来の教育を創る教職教養指針)』学文社,2019 年

武田信子・多賀一郎『教師の育て方——大学の教師教育×学校の教師教育』学事出版, 2022 年

ダーリング - ハモンド, L.・バラッツ - スノーデン, J. 編／秋田喜代美・藤田慶子訳『よい教師をすべての教室へ——専門職としての教師に必須の知識とその習得』新曜社, 2009 年

日本教師教育学会編『教師教育研究ハンドブック』学文社, 2017 年

ハーグリーブス, J.・フラン, M.／木村優・篠原岳司・秋田喜代美監訳『専門職としての教師の資本——21 世紀を革新する教師・学校・教育政策のグランドデザイン』金子書房, 2022 年

山﨑準二『教師の発達と力量形成——続・教師のライフコース研究』創風社, 2012 年

引用・参考文献 Reference

OECD／奥田かんな訳（2001）『教師の現職教育と職能開発—— OECD 諸国の事例比較』ミネルヴァ書房

勝野正章（2014）「教育のガバナンス改革と教職の専門職性」『教育の政治化と子ども・教師の危機』日本教育法学会年報, 43, 72-80.

久冨善之編著（2008）『教師の専門性とアイデンティティ——教育改革時代の国際比較調査と国際シンポジウムから』勁草書房（オンデマンド版, 2020）

庄井良信（2008）「現職教員と構築し合う臨床教育学——北海道教育大学・学校臨床心理専攻の大学院生とともに」田中孝彦・森博俊・庄井良信編著『創造現場の臨床教育学——教師像の問い直しと教師教育の改革のために』明石書店

Lieberman, M.（1956）*Education as a profession*. Prentice-Hall.

CHAPTER

第 10 章

どんなふうに子どもに接したらよいのか？

INTRODUCTION

　教師と子どものよりよい関係性とは何か，という問いは，教育におけるもっとも難しいテーマの1つです。教師にとってこの問いは，日常的な問いであると同時に，ときとして，教師としての生き方や，みずからの存在意義（レゾンデートル）にふれる根源的な問いにもなることもあります。

　教師と子どもとの教育的関係性（より豊かでより思慮深さのあるかかわり合い）とはどのようなものでしょうか。また，どうすればそれを実現することができるのでしょうか。この章では，これらの問いを，子ども理解と生徒指導という2つの観点から探究していきたいと思います。

KEYWORDS

強権主義　放任主義　信頼　愛着　予期不安　安心感　学習性無力感　エンパワーメント　心的外傷　いじめ防止対策推進法　発達障がい　特別支援教育　共生社会　生活感情　生徒指導　生活指導　ガイダンス理論　自己実現　進路指導　集団づくり　能力主義　勝利至上主義　社会的受難　ゼロ・トレランス方式　いじめ　暴力　登校拒否　不登校　過剰適応　居場所　生活綴方教育　学級崩壊　カウンセリング・マインド　生徒指導提要　自己指導能力　自己肯定感　キャリア教育

1 教育的関係性とは？

信頼（ラポール）の相互探索

> **QUESTION**
> 子どもとの信頼関係が生まれるか否かは，教師にとって切実なテーマの1つです。教師と子どもとの信頼（ラポール）は，どうしたら形成できるのでしょうか。

　ある子どもが（教師にとって理解することが）難しい行動を起こしたとき，子どもを厳しく説諭すべきか，子どもの声を聴くべきか，その子の背中をぐっと押すような強い指導が必要か，その子にそっと寄り添うような柔らかな指導が必要か等々――教師の悩みが尽きることがありません。ふと気がつくと，困難を抱えた子どもを前に，強権主義（ソフトまたはハードな管理主義）か放任主義か，という二者択一を迫られている自分に，何ともいえない違和感を抱きながら悩むことも少なくありません。

　そもそも，子どもと教師との信頼（ラポール：rapport）は，教師の一方的な思いを子どもに押しつけても，子どもからの自発的な思いを待っていても，生まれてくるものではありません。教師の「呼びかけ」に子どもが「応答」したとき，あるいは，子どもからのおずおずとしたメッセージに教師が感応できたときにはじめて教育的関係性の萌芽が形成され，相互の信頼が醸成されていくのです。

　たとえば，教師に対してベタベタな甘えと激しい攻撃を繰り返しながら，世界への信頼の糸口を探索し続ける子どもがいます。「信じられるのは先生だけだ」といって涙をみせたかと思うと，「何もかも信じられない，先生も信じられない」と，とつぜん怒りはじめる子どももいます。あわてた教師が「先生だけは信じてほしい」と伝えても，それを拒絶する子どももいます。

　心理学者のパトナムもいうように，このような子どもは，他者や世界への基本的な信頼を著しく傷つけられている可能性があります。そのような子どもに「私はあなたを信じているから，あなたも私を信じなさい」と，教師から子ど

もに「信頼すること」を強要してしまうと，子どもが不安定になり，ときに激しい攻撃性をみせることがあります。世界への基本的な信頼や愛着（アタッチメント）を傷つけられている子どもであればあるほど，教師と子どもとの信頼は，ゆっくりと時間をかけて，相互探索的に醸成されなければならない，とパトナムは警告しているのです（パトナム，2017）。

WORK ⓰

他者への応答の特徴をみつけ合ってみよう　　まず，2人で向かい合い，1つのお手玉でキャッチボールをしてみてください。それができたら，今度は，2人が向き合ったまま，それぞれの人が1つずつお手玉をもち，それを2人で同時に〈投げて－受け取る〉ということに挑戦してみてください（関矢，1984）。

相手をよくみて投げること，相手の投げたお手玉を受け取る準備をしながら投げること，互いに呼吸を合わせて投げ合うこと──これを同時にこなすことは想像以上に難しいことです。

うまく「投げて－受け取る」ことができたとき，あなたは，相手にどのような表情で，どのようなことばをかけましたか。どんな玉がとんできても「ナイスボール！」といって受けとれましたか。うまくいかなかったときは，どうでしたか。相手を責めてしまいましたか，それとも自分を責めてしまいましたか。「なかなかうまくいかないものだね……」と，互いに顔を見合わせて，はにかみ笑いをしましたか。周りでみていた人がいたら，その人たちは，どのような応答をしてくれましたか。一緒にふりかえってみてください。

あくまで遊びの世界で，自分の他者への応答の特徴（そのよいところ）をみつけ合ってみてください。

子どもの〈声〉を聴く

教師と子どもが信頼を相互に醸成していくためには，子どもの声を聴き，その援助要請（ヘルプ・メッセージ）に応答していくことが必要です。

> **QUESTION**
> 教師の目からみて，あまり「問題」がないようにみえる子どものなかにも，多様な援助要請を発信している子どもがいます。その潜在的なニーズにどのように応答すればよいのでしょうか。

　たとえば，学ぶことへの期待が膨らめば膨らむほど，学習に強い予期不安を抱いてパニック症状を起こす子どもがいます。この子たちは「わからなかったらどうしよう……」「できなかったらどうしよう……」と，いつも怯えているようにみえます。このような不安の強い子どもたちには，「間違っても，つまずいても大丈夫だよ。先生やみんなが応援しているから，一緒にやってみようね」という安心感★（sense of security）が必要です。その積み重ねが，結果として，教師と子どもとの信頼の醸成につながるからです。

　また，授業を始めて 10 分くらいで，「先生，無理です！　どうがんばっても，これ以上は勉強できません」と，学習することそのものを拒絶するようにみえる子どももいます。「どうせ自分には何もできない，どうせ何を学ぼうとしてもムダだ」と，学習そのものに深い無力感（学習性無力感★）を抱いている子どももいます。

　成長と発達にふさわしい学習環境に恵まれなかった子どもや，不適切で劣悪な処遇（マルトリートメント：maltreatment）または「虐待」を受けてきた子どもたちのなかに，このような応答をする子どもが多いことが知られています。学習が続かず無気力にみえる子どものなかには，心理的な「解離」を繰り返し，記憶や想起を遮断し，まるで学習そのものを拒絶しているかのようにみえる子どももいます。このような子どもには，多様な他者との学び合いのなかで，その子どものもち味を生かして参加できる「居場所」をつくり，学びのケアとエンパワーメント★が可能な環境を創造していくことが必要になります。

---
note

★　安心感（安全の感覚）は人間のケアと発達援助に必須となる基本的条件の 1 つです。安心感は，何も悩みや葛藤がないという感覚ではなく，むしろ安心して悩み葛藤することが無条件に許される環境で生じる感覚を意味します。

★　学習性無力感とは，抵抗することも回避することも困難なストレスに長期間さらされ続けると，そうした不快な状況から逃れようとする自発的な行動すら起こらなくなる現象のことです。

子ども理解の枠組み

> QUESTION
> 教師と子どもとの信頼を互いに醸成し合うためには，子ども理解の枠組みを広げながら深めていくことが必要です。では，そもそも，子どもを理解するとはどういうことなのでしょうか。

　子ども理解とは，その子どもの学力や学業成績を知ることでしょうか。その子どもらしい性格やパーソナリティを知ることでしょうか。その子どもが抱いている不安や心理を知ることでしょうか。その子どもの中枢神経系の特徴や発達特性を知ることでしょうか。それともその子どもの生活史や生育史を知ることでしょうか。私とあなた──我（われ）・汝（なんじ）（ブーバー，1979）──という関係が織り込まれるなかでふと気づかされる「何か」でしょうか。こうした問いを整理するために，子ども理解を深め合うための位相を3つの観点から整理してみます。

心の深層にふれるとき

　子ども理解に関する1つめの観点は，表面的にはみえにくい子どもの心理（精神世界）をより深く理解しようという試みです。

　子どもが抱える不安や葛藤が深ければ深いほど，それが他者からは気づかれにくいことがあります。たとえば，もっとも身近な人間から著しく不適切な処遇や虐待を受けて，心に深い傷（心的外傷）（ハーマン，1999）を負っている子どものなかには，他者に怯える子どももいますが，とても人なつっこく，笑顔を絶やさない子どももいます。明るく元気な子どもだと思っていたら，その「明るさ」が，壊れそうな自分を守るための切ないまでの過剰な演技だったことに，

---
note
★　エンパワーメント（empowerment）とは，困難な状況を生きる他者との対話と協働をとおして，人間が社会的制約で奪われてしまった諸力（潜在的な可能性）の回復を援助し，その人がほんらいもっていた諸特性に誇りをもって民主的な社会形成の主権者（主人公）になれるように支援することです。

後で気づかされることもあります。親密な他者とのかかわり合いのなかで自分らしくあることが難しく，他者への同調を繰り返しながら「がんばって，がんばって，フツウする」ことに，強いストレスを感じている子どももいます。

たとえば，学校では，何らかの理由で学校に行きたくても行けない（行かない）状況にある不登校の子どもや，学校生活への著しい不安や緊張を抱えながら登校している子どもも少なくありません。このような子どもたちの生活と学習，そして何よりもその尊厳ある人生をどのように理解し，地域の援助者たちと協働して支援することができるのかということが，多くの教師にとって重要な問いになっています。★

また，いじめの問題では，2013年に，被害者の生命と尊厳を守り，その未然防止や適切な早期対応を推進するための法律（いじめ防止対策推進法）が公布・施行されました（⇨Column ⓰）。学校現場では，何よりもいじめを受けた子どもの立場に立った早期の適切な対応が求められ，いじめを受けて心に深い傷を負った子ども（いじめられた子ども）への理解と支援の在り方が深く問われています。さらには，二度と悲しい事態を起こさないためにも，いじめの加害者となった子ども（いじめた子ども）や，いじめの聴衆や傍観者となった子ども（いじめを周りで煽ったり黙認したりしていた子ども）を，どのように理解し，支援・指導していくのか，ということも厳しく問われています。

発達特性に気づくとき

子ども理解を深めるための2つめの観点は，子どものもち味（発達特性）をていねいに理解しようという試みです。

いま，学校現場では，SLD（限局性学習症），AD/HD（注意欠如・多動症），ASD（自閉スペクトラム症）など，いわゆる発達障がいのある子どもたち（特別なニーズをもつ子どもたち）を含めた子どもへの理解と支援の在り方が，特別支援教育という枠組みで探究されています（⇨第5章）。

文部科学省によると，特別支援教育とは，「障害のある幼児児童生徒の自立

---

note

★ 教師が連携できる機関や援助者としては，各種教育相談施設やフリースクール，スクールカウンセラー（SC）やスクールソーシャルワーカー（SSW），教育相談員や教育相談支援パートナーなどがいます。

> **Column ⓰　「いじめ」問題にどう向き合うか？**
>
> 　いじめ防止対策推進法では，いじめは次のように定義されています。
> 　「第2条　この法律において『いじめ』とは，児童等に対して，当該児童等が在籍する学校に在籍している等当該児童等と一定の人的関係にある他の児童等が行う心理的又は物理的な影響を与える行為（インターネットを通じて行われるものを含む。）であって，当該行為の対象となった児童等が心身の苦痛を感じているものをいう。」身体的いじめ，ことばによるいじめ，交友関係いじめ，サイバーいじめ（ネットや SNS を使ったいじめ）など，現象形態は多様ですが，国際的には，いじめを「他者への抑圧的行為」あるいは「パワーの不均衡とその濫用」と定義づける研究もあります。
> 　いずれにしても法律や条例が制定されるだけで，いじめの問題が自動的に解決されるわけではありません。子どもの生命と尊厳を守り，いじめを未然に防止するために求められる教育的な環境をどのようにつくり合えるのか，という具体的な政策や実践の在り方が厳しく問われています。

や社会参加に向けた主体的な取り組みを支援するという視点に立ち，幼児児童生徒一人一人の教育的ニーズを把握し，その持てる力を高め，生活や学習上の困難を改善又は克服するため，適切な指導及び必要な支援を行うもの」（文部科学省，2007a）とされています。制度としては，2007 年 4 月から，「特別支援教育」が学校教育法に位置づけられ，すべての学校において，障がいのある子どもの支援や，一人ひとりの教育的ニーズに応じた適切な教育をさらに充実していくことになりました。

　特別支援教育は，これまでの特殊教育（盲・聾・養護学校，特殊学級，通級による指導）の対象となっていた子どもだけではなく，「発達障がい」の子どもも含めて，特別な支援を必要としている子どもが在籍しているすべての学校で実施されるもので，障がいの有無やその他の個々の違いを認識しつつ，さまざまな人びとが生き生きと活躍できる共生社会の基盤を形成しようとしています（文部科学省，2007b）。特別支援教育は，一人ひとりの子どもが，他者との豊かなかかわり合いのなかで，自分らしく誇りをもって生きられる社会（多様性を包摂するインクルーシブな共生社会）を構築するための礎石としても位置づけら

れているのです。

　このように，一人ひとりの子どものもち味や発達特性（発達障がいなど）に着目することは，子ども理解を深める視点として重要です。特別支援教育の専門的知見を，子ども理解の手がかりにしていくことは大切なことです。この概念が広く共有されることによって，「障害のある子どもたちが自立し，社会参加するために必要な力を培うため，子ども一人一人の教育的ニーズを把握し，その可能性を最大限に伸ばし，生活や学習上の困難を改善または克服するため，適切な指導及び必要な支援を行う」（同上）教育環境の整備が進められるようになったからです。

　しかし，教師が，子どもの生来の発達特性（発達障がいなど）に気づいただけで，その子どもをわかったつもりになることの危うさも知っておく必要があります。ある子どもの発達や障がいの特性は，その子どものかけがえのない人生のもち味の1つであって，その子どもの人格（パーソナリティ）そのものでは決してないからです。たとえば，もしSLD（限局性学習症）だと診断されたハナコさんがいたとしても，私たちが理解すべきなのは，あくまでSLDという1つの特性をもって懸命に生きているかけがえのないハナコさんという人間そのものであり，SLDというラベルを貼られたハナコさんではないはずです。

尊厳ある他者の人生にふれるとき

　子ども理解を深めるための3つめの観点は，子どもを，尊厳をもって社会や文化の創造に参加しながら生きている一人の独立した人格として理解しようとする視点です。

　たとえば小学校1年生（6歳）の子どもを，「もう6歳なのに（あれもできていない，これもできていないと）課題ばかりが目立つ未熟な人間」としてみる場合と，「6年間というかけがえのない（しかも教師も知らない）人生を，これまで懸命に生きてきた尊厳あるひとりの人間」としてみる場合とでは，教師が子どもを理解する枠組みが大きく異なります。

　尊厳ある子どもの「いのち」をケアし育みながら，社会や文化の創造に参加する主人公（主権者）としての自立を援助することは，教育の重要な目的の1つです。ある時代の社会・文化状況のなかで，子どもの「いのち」をケアし，

その成長と発達を援助しながら，よりよい（そして思慮深い）教育的関係性について考え合うことは，今日の教育学にとってきわめて重要な課題です。

　一人ひとりの具体的な生活者としての子どもの姿に敬意をもって応答することなく（つまり，子どもを他者とかかわり合いのなかで懸命に生きている一人の尊厳ある人格として理解しようと努力することなく），教師が子どもの指導や支援の方法をいくら工夫しても，子どもとの間に信頼（ラポール）も，よりよい関係性もつくれません。そもそも，尊厳をもった具体的な子どもの成長や発達を，長い時間展望をもって総合的に理解（understanding）する努力なしに，教師の教育活動を自己評価することは不可能です。

　当然のことではありますが，大人である教師にとって，子どもは，自分とは異なる他者であり，自分とは独立した人間です。レヴィナス（2010）のことばを借りれば，子どもは「唯一者にして他者」を生きる存在です。子どもはそれぞれに固有な生活感情や自己感覚を抱いて暮らしています。子どもには子どもが感受している豊かな生活世界があるのです。

生徒指導と豊かなかかわり合いの育み

ガイダンス理論から集団づくりへ

　子どもと教師との信頼を醸成し合うためには，社会的存在として育ちつつある子どもの生活総体への理解を深め，子どもから刻々に発信されるメッセージを感受しながら，それにどのように応答できるのかということが問われます。この問いは，歴史的には，ガイダンス理論，あるいは子どものケアと発達援助のための生徒指導（生活指導）の理論として探究されてきました。

　日本の生徒指導の1つの重要なルーツは，20世紀初期に展開されたガイダンス運動です。そこで育まれたガイダンス理論は，子どものかけがえのない人生の自己実現を援助し，社会参加を支援していこうというデザインを内包していました。ガイダンス運動は，子どもの尊厳ある人生に，時間をかけて伴走しながら，その進路を社会における自己実現へと案内（ガイド）するための教育としてスタートしました。初期のガイダンス理論に込められたもっとも重要な

思想の1つは，社会においてその子らしさを大切にした自己実現を支援することであり，生き方をともに考える進路指導であったのです。

その後，ガイダンス理論は，生徒指導または生活指導にかかわる理論と実践として展開していきました。生徒指導や生活指導ということばには，少し怖いイメージが伴っているかもしれません。たしかに日本の教育現場では，生徒指導（生活指導）が，校則違反者の取り締まりや，子どもへの一方的な説論あるいは懲戒などを連想させてしまう場合があることも否めない事実です。その一方で，生徒指導（生活指導）のなかには，子どもを民主的な社会の形成者（主権者）として育てるために，体罰や暴力（パワーの濫用によるハラスメント）を排して，子どもたちの自主的で自治的な関係性を創造する「集団づくり」を探究してきた歴史があることも事実です。

多元的な能力主義

1960年代の高度経済成長の時代になると，日本の多くの学校教育の現場は，激しい能力主義（メリトクラシー）が支配する競争社会へと変貌していきます。教科の授業では，試験による成績の管理が強められました。受験や進学に有利な「学力」を獲得できる子どもが（他者と比較されながら）過剰に評価され，それを獲得できない子どもが過小評価されました。子どもの学びにおける他者との競争的環境が助長され，自分という存在に自信をもって学べる子どもが，ますます少なくなっていきました。

学校の部活動や地域のスポーツ活動などでも，勝利至上主義による能力主義の風潮が強まりました。「学力」を指標にした一元的能力主義が，その他の諸能力をも競い合う多元的能力主義へと拡張していったのです。クラブ活動や部活動等でも，パフォーマンスの高い子どもと低い子どもとの個人間競争が激しくなりました。急速な都市化が進むなかで，かつてはおおらかに見守り，支え

──────────────────────────── note
★ 進路指導は，狭義の「進学指導」だけを意味するものではありません。今日の進路指導は，児童生徒が自己の生き方を考え，将来の進路を主体的に選択していく能力や態度を育成するための指導・援助（キャリア教育）を意味しています。
★ 「集団づくり」は，集団という形式をつくることではなく，自分たちの生活を自分たちでよりよいものにするために必要な社会的諸環境やそこで発揮される諸能力を，子どもたち自身が自己形成できるように指導・支援する理論と実践の総体です。

合ってきた地域の教育力も低下し続けました。

　こうした社会的受難ともいえる状況のなかで、学業成績の良い悪いにかかわらず、学校で何をやろうとしても自信がもてない子どもや、自尊感情を深く傷つけられ、著しい不安や緊張を強いられる子どもが急増しました。

いじめ・不登校の急増

　1970年前後から、その不安や緊張が、主に子どもの「荒れ」や暴力という様態で行動化（アクティング・アウト）しました。それを力で押さえ込もうとする管理統制型の生徒指導（今日のゼロ・トレランス方式★）で対応せざるをえなかった学校現場も少なくありませんでした。その結果、多くの学校で、顕在的な問題行動は一時的に減少したようにもみえました。しかし、長く過剰に管理統制されたシステムにさらされ続けた子どもたちのなかから、学校社会への適応に苦しみ、ため込んだ不安や葛藤を陰湿ないじめや暴力（非行や問題行動）として表出してくる子どもも増えはじめました。

　また、その不安や葛藤を登校拒否や不登校という形で表出し、学校や大人の社会に根源的な問いを投げかけてくる子どもたちも増えはじめました。1980年代前後以降から、全国で、登校拒否や不登校の子どもは増え続け、1990年代には全国で13万人を超え、その不安や葛藤を、学校に行けない（あるいは学校に行かない）という姿で表出するようになりました。その後も不登校の子どもは漸増し続け、2021年度には24万人を超えています。

　不登校やその傾向の強い子どもたちのなかには、学校（または教室）という社会に適応することに深い困難を抱えながら、必死に適応を試み続けた子どももいました。なかには、学校に憧れ、むしろ学校に過剰適応しようとして、それがうまくいかない自分を責め、自己否定感を強め、苦しみ続けている子どももいました。また、他者とともにありながら自分が自分であって大丈夫だという自己肯定感や、自分の心の「居場所」がみつからずに、苦悩して生きづらさを抱え続けている子どもも数多くいました。

---
note

★　ゼロ・トレランス方式の生徒指導は、不寛容と厳罰によって毅然たる対応を重視する理念と方法です。この方式が、一時的な危機対応として意味をもつ場合があることは否定できません。しかし、その常態化が子どもの成長と発達に与えるマイナスの影響も看過することはできません。

オルタナティブな潮流

一方，日本の教育界には，戦後間もない頃から（あるいは戦前・戦後を通じて），困難を抱えた子どもたちの生活と育ちを理解しようと努め，その不安や葛藤を聴きながら，そのかけがえのない人生のケアと発達援助に専心し続けた人びともいました。生活綴方教育★の運動に携わった人びとの多くは，その重要な担い手でした。ほかにも，さまざまな困難と向き合いながらそれを草の根で支え合うセルフ・ヘルプ・グループ，自主的な民間の教育研究運動サークル，教育系・心理系・福祉系などの関連諸学会，地域の教育行政機関や研究施設が主催・共催する研修活動などでも，深い子ども理解（児童生徒理解）にもとづく生徒指導や教育相談の在り方が，真摯に探究されてきました。

1990年代後半から2000年代になると，教室における日常的な指導や授業が成立しないなど，いわゆる「学級崩壊」と呼ばれる現象が，社会的な関心事になりました。同じ頃，学校という社会で，抱え込んだ不安や葛藤をさまざまな形で行動化してくる子どもたちのなかに，発達障がいや特別なニーズのある子どもたちがいる可能性があることも，広く知られるようになりました。生徒指導における教育相談機能やカウンセリング・マインドが強調されたのも，この時代のことでした。

2010年以降も，こうした心理的，医療的，福祉的な専門性をもつ援助者たちとともに，一人ひとりの子どものかけがえのない人生（ライフ）に寄り添い，そのニーズに応じた支援をする基本的な姿勢が，学校の教師に求められています。たとえば，『生徒指導提要』（文部科学省，2010）では，生徒指導とは，「一人一人の児童生徒の人格を尊重し，個性の伸長を図りながら，社会的資質や行動力を高めることを目指して行われる教育活動のこと」だと記されています。そして，生徒指導は「すべての児童生徒のそれぞれの人格のよりよき発達を目指すとともに，学校生活がすべての児童生徒にとって有意義で興味深く，充実したものになること」をめざしていると記されていました。2022年に改訂さ

---

note

★ 生活綴方教育とは，子どもの生活に深く根ざした作文（作品）とそこに描かれた文章表現をとおして，かけがえのない子どもの人生（ライフ）の理解を深めながら，その生活をまるごと指導・支援する教育のことです。

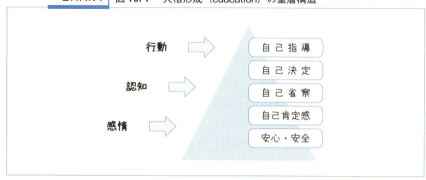

CHART 図10.1 人格形成（education）の重層構造

れた『生徒指導提要』（文部科学省）では、「生徒指導とは、社会の中で自分らしく生きることができる存在へと児童生徒が、自発的・主体的に成長や発達する過程を支える教育活動のことである」と定義づけられています。

自己指導能力の形成

　文部科学省の『生徒指導提要』のなかで強調されている重要なコンセプトの1つが自己指導能力の形成です。そのために留意すべき事項として、自己存在感を与えること、共感的人間関係を育成すること、自己決定の場を与え自己の可能性の開発を援助することなどが、例示されています。社会的自立の心棒となる「自己指導能力」は、社会参加の主人公（主権者）になるために必要ないくつかの要素によって構成されています。

　図10.1に即して説明してみましょう。まず、子どもが困ったり、不安になったりしたときに、自分には「心の浮き輪」や「帰るおひざ」（信頼できる他者）があると感じられること、これが「安心と安全」の感覚です。

　それを土台にして、他者とともにありながら、自分が自分らしくあっても大丈夫だと実感できる自己感覚としての自己肯定感★が育ちます。この自己肯定感を土台にして、自分の経験をふりかえり、自分のことばでじっくり考えられる「自己省察」の力や、自分の心とからだに相談して決められる「自己決定」の

---
note
★　自己肯定感は、自分の「強さ」も「弱さ」もまるごと受容しながら肯定できる自己感覚のことです。自己肯定感は、自分という存在そのものに無条件の尊厳と価値を実感できる自尊感情（セルフ・エスティーム：self-esteem）とほぼ同じ意味で用いられることの多いことばです。

力が育ちます。

　これらの豊かな土壌が耕され，そのうえに，自分で自分の心の舵をとり，自分らしさに誇りをもって生きる力としての自己指導能力が形成されていきます。今日の教育相談あるいは生徒指導・生活指導には，このような意味での自己指導能力の形成が求められているのです。安心と安全を確かめながら社会に参加し，さまざまな強さと弱さをあわせもつ自己をまるごと肯定し，心と身体に相談しながら自己決定し，みずからの人生を切り抜けるように支援するキャリア教育が，教育相談・生徒指導の究極の〈羅針盤〉です。この羅針盤をもってケアと発達援助の専門性を磨くことが，教師と子どもの真の意味での相互信頼と，思慮深い教育的関係性を醸成するのです。

SUMMARY

　子どもへの指導や支援において，ある困難に直面すると，教師には，まず，目の前の子どもをどう理解するか，ということが問われます。そして，その場にふさわしい指導や支援とは何か，ということも問われます。実際の教育現場では，このような子ども理解とそれにもとづく指導や支援は，ほぼ瞬時に遂行され，教師には刻々の倫理的・教育的判断が求められます。

　そこでは，2つのことが問われます。1つめは，教師の思いや願いが一方的にならないように，つねにもう一方向からの（子どもからの）メッセージを感受するチャンネルを開いておくということです。それは，固有名のある具体的な子どもの理解を深めながら，不断に自分の指導や支援をふりかえるということです。それは，より深い子ども理解とは何か，という問いにつながります。2つめは，教師が子ども理解を深めながら，どのような指導・支援を構想し，実践できるかということです。それは，刻々に発信される子どもからのメッセージを感受しながら，それにどのように責任ある応答ができるのかということです。それは，より質の高い（専門性のある）生徒指導や教育相談とは何か，という問いにつながります。

　子どもとの信頼関係や，豊かで思慮深い教育的関係性も，このような問いを紡ぎながら，ゆっくりと時間をかけて醸成されていくのではないでしょうか。

さらに学びたい人のために　　　　　　　　　　　Bookguide

斎藤環・内田良『いじめ加害者にどう対応するか――処罰と被害者優先のケア』岩波ブックレット，2022 年

庄井良信編『生徒指導』学文社，2023 年

日本生活指導学会編著／竹内常一編集代表『生活指導事典――生活指導・対人援助に関わる人のために』エイデル研究所，2010 年

ビースタ, G./藤井啓之・玉木博章訳『よい教育とはなにか――倫理・政治・民主主義』白澤社，2016 年

山本敏郎・藤井啓之・高橋英児・福田敦志『新しい時代の生活指導』有斐閣アルマ，2014 年

引用・参考文献　　　　　　　　　　　　　　　Reference

関矢幸雄（1984）『遊びのなかの演劇』晩成書房

パトナム, F. W./中井久夫訳（2017）『解離――若年期における病理と治療』新装版，みすず書房

ハーマン, J. L./中井久夫訳（1999）『心的外傷と回復』増補版，みすず書房

ピーターソン, C.・マイヤー, S. F.・セリグマン M. E. P./津田彰監訳（2000）『学習性無力感――パーソナル・コントロールの時代をひらく理論』二瓶社

ブーバー, M./植田重雄訳（1979）『我と汝・対話』岩波文庫

文部科学省（2007a）「特別支援教育の推進について（通知）」（19 文科初第 125 号・平成 19 年 4 月 1 日）

文部科学省（2007b）『特別支援教育』広報パンフレット（文部科学省 HP で閲覧可能；2014 年 12 月）

文部科学省編（2010）『生徒指導提要』教育図書（文部科学省 HP で閲覧可能；2014 年 12 月）

文部科学省編（近刊）『生徒指導提要』改訂版，教育図書（文部科学省 HP で公表予定）

レヴィナス, E./合田正人・松丸和弘訳（2010）『他性と超越』法政大学出版局

CHAPTER

第 11 章

子どもがよく学ぶためには？

INTRODUCTION

　あなたは，しみじみと胸に響くような学び（learning）を経験したことはありますか。それは，どのような経験でしたか。それは，あなたの心を癒してくれましたか。孤独からあなたを救ってくれましたか。あなたの夢を耕してくれましたか。そして，かけがえのないあなたの人生の物語を豊かにしてくれましたか。

　この章では，いま，学校や社会で探究されている学びのデザインとその背景にある理論を，具体的な「授業研究」のエピソードをとおして浮き彫りにしていきたいと思います。そのことをとおして，子ども理解を大切にした学びの支援や授業の在り方について考えていきたいと思います。

KEYWORDS

隠れたカリキュラム　ライフ・ストーリー　学力　学習意欲　多職種協働　教育課程　教科中心カリキュラム　経験中心カリキュラム　ストーリー中心カリキュラム　学びの軌跡　授業の事前検討会　自尊感情　インクルーシブな授業　学習集団づくり　協同学習の創造　系統主義　擬似的発問　擬似的応答　問題解決学習　発見学習　経験学習　はいまわる経験主義　カリキュラム・マネジメント　文化歴史的理論　主体的・対話的で深い学び　ナラティブ・ラーニング　創造的想像力　学習指導要領　GIGA スクール　ICT を活用した教育　令和の日本型学校教育　個別最適な学び　協働的な学び

1 子ども理解とカリキュラム

正答主義の授業？

　教師が「はい，これわかる人，これできる人？」と問い，子どもが「正解」をいえば，「はい，そのとおりです。よく勉強していますね」とほめられ，間違っていれば，「はい，残念でした。もう少し勉強してきましょう」ととがめられる学びのスタイルがあります。これを「正答主義の授業」と呼ぶことがありますが，このような授業のなかで，子どもたちは，いったいどのような学びのイメージをわが身に刻み込んでいるのでしょうか。

　多様な発言があっても，「うん，あなたらしい考えだね，ほかに？」とさらりと流されてしまう授業があります。「みんなちがって，みんないいね」だけで終わってしまい，いっこうに深まったり，高まったりしない授業もあります。こうした授業は，子どもの多様な発言に寄り添う対話と優しさのある授業のようにみえますが，学び合いを深める発言として応答されない子どもにとっては，虚しさと寂しさがつのる授業として経験されているかもしれません。

　このような授業が日常的に繰り返されるなかで，子どもたちは，何を経験し続けているのでしょうか。そこで子どもたちが無意識のうちに身体化してしまう隠れたカリキュラムはないでしょうか。一方，教える側の教師たちは，何を経験しているのでしょうか。このような授業を日常的に繰り返す教師たちに，不安，葛藤，ストレスが蓄積していることはないでしょうか。

　授業に参加している子どもたち一人ひとりの「人生の物語」（ライフ・ストーリー）は豊かになっているでしょうか。ある社会・文化的な環境において，他者のなかに生きる自分の物語や，自分のなかに生きる他者の物語は豊かに紡ぎ合われているでしょうか。過去を深く胸に刻み，未来に思いをはせ，現在を意味ある瞬間として味わいながら，自分に誇りをもって生きるという時間展望や自己感覚がしっかりと磨かれているでしょうか。

学力――そのケアと育み

> **QUESTION**
> いま，学校の授業や生活の学びのなかで，子どもたちに，ほんとうの学力は耕されているのでしょうか。学力の形成と人格の形成とはしっかりと結びついているのでしょうか。両者の間に著しい乖離が生じていないでしょうか。

　学力が高いと評価されている子どものなかにも，自己否定感の高い子どもがいます。勉強はできるのに自分はダメだと自己否定し続ける感覚に押しつぶされそうになっている子どもがいるのです。テストで高得点をとり続けていたある中学生は，「私は運転手のいない高級自動車みたいでとても不安だ」と語っていました。測定される学力が高いからといって，肯定的な自己感覚や幸福感をもって生きられているとは限らないのです。

　一方，数値では学力が低いと評価され，学力が伸び悩んでいる子どもが，他者や仲間とかかわり合いながら自己肯定感を回復し，驚くべき変容を遂げる場合もあります。教師やクラスの仲間から，あるいは学習支援者などから，「間違っても，ゆっくりやっても大丈夫だよ」「わからないことに気づけるということは賢い証拠だよ」「苦手なことがあっても大丈夫だから，先生と一緒にやってみよう」などと声をかけられて，心が動きはじめ，学習意欲が回復していった子どもたちもいます。

　厳しい生活環境のなかで抱え込んだ不安やストレスが，教師やスクールカウンセラー，相談支援パートナーや地域の心理的・福祉的専門職の人びとによってケアされていくことで，消えかかっていた学習意欲や，測定される学力が急速に回復していく子どももいます。いま，学びにはケアと育みにかかわる多職種協働のデザインが求められています。

人生に寄り添うカリキュラム

　教育は，教える者と学ぶ者との**相互性**（mutuality）によって成り立っています。教育における相互性とは，教える者と学ぶ者，あるいは，学ぶ者どうしが織りなす応答的なコミュニケーションのなかで生まれる相互主体的なかかわり

合いのことです。

　先人たちは，目の前のかけがえのない「いのち」の尊厳を守り，それをケアし，育むことを導きの糸として，教育の目的と倫理を探究してきました。また，先人たちは，それぞれの時代の社会や文化と格闘しながら，次世代の社会に必要だと考えられる文化価値の体系を，教育課程（カリキュラム：curriculum）として精選・整序してきました。

　さらに，先人たちは，その文化価値の体系を，よりよく伝達・習得させるための教育内容・方法も開発してきました。教育の目的と目標が吟味され，人類の文化価値が教科として区分され，その到達目標の細目が整序され，それを達成するための内容と方法が探究されました。それは，教科中心カリキュラム（subject-centered curriculum）の開発と呼ばれています。今日では，あるテーマを探究するために，各教科の壁を越えた領域横断カリキュラムや，課題探求カリキュラムも開発されてきています。

　一方，学習者（子ども）の経験を重視して，教育の内容・方法を再編することを重視する経験中心カリキュラム（experience-centered curriculum）あるいは子ども中心カリキュラムも開発されてきました。近年では，学習者の学びの履歴や物語性に注目した，ストーリー中心カリキュラム（story-centered curriculum）のように，教科中心の考え方と経験中心の考え方との統合を志向したカリキュラム開発も行われています。

　カリキュラムは，教育の目的，内容，方法，それらにアプローチする教育者の基本的姿勢を意味する場合があります。そもそもカリキュラムということばの語源は，ラテン語の〈"currere" = 走る + "culum" = コース〉です。この〈走るコース〉を，主に教える者の側の視点で考えると，より整序された教科内容・方法が構造化されていきます。一方，これを，学習者（子ども）の視点で考えると，その子どもの人生におけるユニークな学びの軌跡こそがカリキュラムだということもできます。カリキュラム開発では，教えるべき内容を批判的に吟味しながら整序・再構成するとともに，具体的な学習者（子ども）のかけがえのない人生のカリキュラム（学びの履歴）が豊穣化できるように援助できるかどうかが，教師に問われています。

2 「学び」のデザイン再考

> **QUESTION**
> では，子どものかけがえのない人生に寄り添い，それを社会や文化への参加へといざなうことができるような「学び」（学習活動）をどのようにデザインしたらよいのでしょうか。

ある小学校の授業研究の物語をもとに，考えてみたいと思います。★

0＋0＝0？
　　ゼロ　ゼロ　ゼロ

あなたは，小学校1年生の算数の授業で，〈0＋0〉（ゼロたすゼロ）について学んだことを覚えていますか。一般に，教える側（教師）は，数量の操作として，〈0＋0＝0〉という「正解」を，そのまま子どもに教えようとします。ところが，学ぶ側（6歳から7歳の子ども）の内的体験は，教師が思うほど単純ではありません。

> **QUESTION**
> 多様な考えや特性をもった子どもたちにとって手応えがあり，それぞれの人生のカリキュラムをいっそう豊かにすることのできるような「学び」をどのようにデザイン（構想）したらよいのでしょうか。

ある小学校1年生の授業づくりのエピソードを例に考えてみましょう。担任の教師は，この授業の前に，子どもたちがどれほどその学習への準備ができているか（学習準備性：レディネス）を確かめようと思い，こう問いかけました。「ねえ，0（ゼロ）と0（ゼロ）をたしたらいくつになると思う？」すると，クラスの子どもたち全員が「0！（ゼロ）」と答えました。

この教師は，とても悩んでしまいました。明日，算数で〈0＋0〉を教えよう

---

note

★　登場人物はすべて仮名です。また事例を典型化するために，実際には複数の学級で参与観察した経験を総合し，一般化した物語として記述しています。

と思っていたのに，子どもたち全員が，その答えは 0（ゼロ）だと知っていると答えたからです。すでに「正解」がわかっている子どもたちに，教師は，明日，いったい何をどう教えればよいのでしょうか。

WORK ⑰

指導案をデザインしてみよう　もし，あなたがこのクラスの教師だったら，子どもたちにとって意味のある「学び」をどのようにデザインしますか。明日の〈0＋0〉の授業のプランをどのように構想しますか。あなたなりの指導案を考えてみてください。

授業構想のカンファレンス

(1)　**「あの子」にとって意味ある学び**　この教師は，同学年の同僚と大学の研究者を交えて，授業構想のカンファレンス（授業の事前検討会）を実施しました。そこでは，まず，このクラスの子どもたちの人生（ライフ）が語られました。この学級には，日常生活のなかで寂しさと緊張を抱えながら，やっとの思いで学校にきている子どもがいました。テストの得点は高いのに自尊感情（self-esteem）が低い子どももいました。一人ひとりの顔を思い浮かべながら，この子，あの子にとって意味ある学びをどうつくるか，クラス全体にとって深みと手応えのある学び合いをどうつくるか，そのためにどのような授業を構想するのか。こうしたことが，同僚や研究者とともに語り合われました。

(2)　**インクルーシブな学び合い**　カンファレンスは，具体的な子どものエピソード語りからはじまりました。この教師のクラスには，さまざまな特性の子どもたちがいました。こだわりが強く友だちとかかわることが苦手な子どもがいました。落ち着きがなく，急に立ち歩いてしまう子もいました。特定の学習領域だけが苦手で苦労している子もいました。それぞれが抱える生活の背景や育ちの足跡（生育史）もさまざまでした。どのような特性をもつ子どもでも，そのもち味を生かし合いながら，ともに学び合えるインクルーシブな授業★（全員参加の授業）をつくりたいと，この教師は願っていました。

---

note

★　インクルーシブな授業とは，それぞれの育ちの特性や個性を生かし合いながら，クラスの全員がその違いや多様性を越えて，学び合いに参加することをめざした授業のことである。

多様な特性（もち味）のある他者との出会いと学び合いのなかで、一人ひとりの子どもが自尊感情を回復し、新たな社会や文化の形成者（創り手）として自立できるように援助していく営みを、日本の教師たちは、諸外国の研究と実践にも学びながら、学習集団づくり、あるいは、協同学習の創造というデザインで探究し続けています。この教師も、こうしたデザインで、明日の授業を構想しようと考えていました。

学習指導案を構想する

この授業構想カンファレンスでは、学習指導要領をていねいに参照したうえで、一人ひとりの子どものことを具体的に語り合いながら、同時に、教科内容の文化価値（0（ゼロ）の学問的・生活的意味や、0と0を加算することの学問的・生活的意味など）を問い直し、それを多様なもち味や個性のある子どもたちと一緒に学び合えるような授業をどうつくるか、ということが考え合われました。

はじめ、この教師は、いくつかの可能性を考えました。

> 【デザインA】〈0+0=0〉という「答え」をあっさりと教えて確認し、より難易度の高い次のステップに進む。
> 【デザインB】〈0+0って何だろう？〉と、教師も正解がわからないふりをして、子どもに発問し、学び合い、最後に〈0〉という正解をいわせて終わる。
> 【デザインC】子どもに「〈0+0〉について何か考えてみたいことがある？」とたずね、新たな問い（問題）そのものを子どもと一緒に考えていく。
> 【デザインD】〈そもそも、0+0って何だろう？〉と、教師も真剣に考えて学び直し、子どもたちが正解にたどり着くプロセスを考える。

どれもありうるが、どれもしっくりこない、と思ったこの教師は、同僚や研究者とともに、次のようなことを話し合いました。

(1) **スモールステップで教える？**　デザインAの場合は、教科内容の難易度の順序性をふまえていて、子どもにスモールステップで課題を着実に解決させようとしていくものです。この考え方は、一般に系統主義の学習と呼ばれる学びのデザインで、既存の文化価値を教育内容として整序し、それを効率よく系統立てて伝達することを強く意識するものです。

系統主義の学習は、既存の文化価値や教育内容を、確実に効率よく伝達した

いと願う大人（教師や講師）にとっては，利便性の高い教育方法だと考えられています。たしかに「正解」がみつかったときには，子どもにある種の達成感も生まれます。しかし，このデザインの授業では，子どもはいつまでも受動的な学びの客体（お客様）のままで，学びの能動的な主体（主人公）になることが難しくなります。

(2) **子どもに問いかけ，主体的に学ばせる？**　デザインBの場合は，発問（問いかけ）をすることで，Aの場合よりは，子どもを主体的な姿勢で学ばせようという工夫はみられます。しかし，そこでは，すでに正解を知っているのに知らないふりをして問いかける教師の擬似的発問と，正解を知らないか，知っていてもしばらく知らないふりをして振る舞おうとする子どもとの擬似的応答が織りなす儀礼的な対話が展開されます。

教師が子どもに問いかけ，子どもが問いをもち，子どもが主体的に学べる環境をつくろうとすることは重要です。しかし，デザインBの場合，子どもの探究や発見のプロセスは，やはり教師が隠しもっている正解に強く誘導されてしまいます。教師は，「ここまでおいで」と巧妙に正解へと子どもたちを導き，子どもたちは，その正解にだれがいちばん早くたどり着けるかを競い合う傾向も生まれます。

(3) **子どもが問いをつくり，みずから解決する？**　デザインCのように，教師はなるべく教えることを控えて，子ども（たち）にみずから考えるべき「問い」をみつけさせ，子ども（たち）がそれを主体的に解決できるような学習環境を準備することも考えられます。

これは，歴史的には経験主義の学習または，問題解決学習（problem-solving-learning）と呼ばれる枠組みで探究されてきた考え方です。これは，子どもが直面している問題を解決しようと努力することをとおして，みずからの経験や知識を再構成しながら，自主的，創造的，批判的な思考能力を高めようとする学びを組織しようとするものです。このような考え方の源流はデューイ（⇨第7章）ですが，その後，ブルーナー（⇨第3章）が提唱した発見学習や，コルブ（⇨第12章）が提唱した経験学習などにも継承されています。

しかし，経験することで学ぶという教授原理は重要ですが，経験しさえすれば何かが学べる，というとらえ方が拡大解釈されると，子どもは活発に活動し，

何かを経験しているようだが，いっこうにその質が高まらないという「はいまわる経験主義」に陥る可能性があります。教師が指導を控えれば，子どもが主体的かつ能動的に学ぶ環境ができるとは限りません。また，すべての子どもが問うべき問いをうまく立ち上げられるとは限りません。一人ひとりの子どもが問いたい問いをクラス全体の学び合いで深め合えるような問うべき問いにするためには，高度な問いのコーディネートや，質の高い教養の広さと深さが，教師の側に求められます。

(4) 子どもと一緒にわかり直しの過程を歩む？　　デザインDの場合は，教師自身が，教えようとしている内容（教材の文化価値）そのものをあらためて（擬似的にではなく）真剣に学び直そうという姿勢を大切にしています。教師が，教科内容の伝達者ではなく探究者として子どもの前に立とうとしています。そのことによって，Bの場合よりは，対話の不自然さは軽減され，Cの場合よりは，教師と子どもたちとの相互主体的な対話が活発に展開されるかもしれません。

しかし，教師が格闘しながらようやく獲得した教材の文化価値を強く意識しすぎると，結局は教師が発見した「正解」という高みへと子どもたちを誘導するだけの指導になってしまい，「教師はとても感動しているのに，子どもは少しも感動してくれない」という砂をかむような授業になる心配もあります。その結果として，教師の焦りだけが先行し，子どもにとっては，「腑に落ちてわかった」という手応えのある学びにはなりにくい可能性もあります。

3　授業の妙技（アート）を高めるために

私，0（ゼロ）に会いたい

この教師は，以上のようなことを，職場の同僚や大学の研究者と，あくまでも対等・平等な関係（ピア・インタラクション：peer-interaction）で，話し合いました。その結果，教師は，さらに一歩踏み込んで，明日の授業を構想し直し，新たな学びをデザインし直しました。それは，次のようなものでした。

> 【デザインE】
> ① 〈0＋0ってどうして0だと思うの？〉と，まず子どもの声を聴き，一人ひとりの子どもが抱いているイメージや考え方を理解しようと努めてみる。
> ② 子どもの多彩な見方・考え方・感じ方の特性（もち味）を尊重しながら，〈0＋0〉に埋め込まれている算数・数学の文化価値の世界を，教師と子どもたちが，ともに探究しながら発見していく学び合いを構想する。
> ③ これらをとおして，子ども理解にもとづく新しい教授法や，子どもの人生の物語を豊かにするカリキュラムを開発する。

翌日，授業がはじまりました。はじめに，教師は，みずからの教材解釈として，0（ゼロ）という概念の本質を，φ（空集合）としてとらえ，さらには，インドにおける0（ゼロ）の発見，マヤ文化における0（ゼロ）の発見，高等数学における微積分の0（ゼロ）概念などを想像しながら，小学校1年生の子どもと一緒に0（ゼロ）のイメージを探り合いました。

　　教師：かごの上のリンゴが3つあります。1つとると……？
　　子ども：2つ！
　　教師：もう1つとると……？
　　子ども：1つ！
　　教師：じゃあ……もう1つとると……？
　　子ども：（口々に），なし！ ありゃりゃ！ ありません！ かごがあるじゃん！ りんごはないじゃん！ ゼロコ！ レイコ！ はあ？
　　教師：りんごはゼロ？ ゼロって何？
　　子ども：（口々に），かごの上のふわっとしたやつ。ほよよーんとしたやつ。どこにもないじゃん！ あるんだって！ なんにもないじゃん！ 先生，ゼロってどこにいるの？ わたし，ゼロって見てみたい，触ってみたい，会ってみたい……
　　教師：ゼロって不思議だね……先生もこんど会ってみたいなあ。
　　子ども：きっと会えるよ。

インクルーシブな学び合いをつくる

このようなやりとりをした後，教師は，次のように発問しました。

教師：では，<u>0（ゼロ）と0（ゼロ）をたすと，いくつになる？</u>

　子どもたちは，考えはじめました。昨日は，簡単に0（ゼロ）と答えていた小学校1年生の子どもたち一人ひとりが，それぞれの表情で，自分の心と身体に相談しながらこの問いをイメージしはじめました。

　　子ども（太郎さん）：ぼくは2だと思います。
　　教師：太郎くんはどうしてそう思うの？
　　子ども（太郎さん）：だって，ゼロってお団子みたいだもの。お団子とお団子が2つで2。
　　教師：なるほど……みんなはどう思う？
　　子ども（花子さん）：2にはならないと思います。だって，1と1とたしたら2になるでしょう。0と0をたしたら，それよりは小さくなると思う。
　　教師：そうか，2にはならないか……。
　　子ども（次郎さん）：あっ，そうだ。1だ。<u>0+0=1になるんだ。</u>
　　教師：ああ，0+0は1か……みんなはどう思う？（子どもたちは神妙な面持ち），次郎さんは，どうしてそう思ったの？
　　子ども（次郎さん）：<u>0（ゼロ）って不思議でしょう。あるようなないような。でも，たしたら（足し算だったら）ちょっとだけふえるんじゃないかなあ。だからちっちゃな1って感じ。</u>
　　教師：そうか，ちっちゃな1か……みんなはどう？
　　　……こうして授業が続きました。

　数の操作としては，0+0=0になることを最後に確認しました。1週間後の到達度テストでも，全員が「0+0=0」と回答していました。
　しかし，この教師は，太郎さんの0+0=2という考え方も，次郎さんの0+0=1という考え方も，算数として（数学として）とても魅力的な考え方だと思いました。教師自身も（擬似的にではなく）・ほ・ん・と・う・に驚いたのです。気がつくと教師は，即興で〈0（ゼロ）の不思議な旅〉というお話し語り（ストーリーテリング）をしていました。授業の参加が難しかった次郎さんもみんなの学び合いの輪のなかで活躍できるのが，ほんとうの意味でのインクルーシブな授業です。終わりのチャイムがなっても，子どもたちは，「先生，もっと算数やろう！」と訴えていました。授業後も，子どもたちは，自分にとっての0（ゼロ）

の世界のイメージと,それを他者と響き合わせることができた余韻に浸っていました。

授業のリフレクション

　授業後に同僚や研究者と行ったリフレクション（ふりかえり）では,次の2つのことがテーマになりました。

　1つめは,次郎さんという具体的な子どもの人生（ライフ）にとって,この授業は,どのような意味をもっていただろうか,ということです。たとえば,授業になかなか参加できなかった次郎さんの〈0＋0＝小さな1〉という発言が,この授業で算数・数学という学問の世界で価値ある発言として意味づけられたことが,次郎さんの自尊感情を高め,学習意欲を人格の深いところから耕すことにつながったのではないでしょうか。

　2つめは,次郎さんとともに周りの子どもたちが,それぞれの多様なもち味を大切にしながら,クラス全体として学びを深め合う（真の意味で学び合う）ことができたかということです。たとえば,教師がこの授業で大切にしたかった教科内容とそこに埋め込まれている文化価値は,子どもたちとともに学び合うことで,再生され,若く美しく生まれ変わることができたでしょうか。教師にとっても,あらたな文化価値の発見や驚きのある授業だったでしょうか。

　このように,教師は,子どもと出会い直し,教科内容と出会い直し,自分自身とも出会い直すことのできるような学びのデザインを,職場の同僚や大学の研究者とともに探究していきました。そのことをとおして,子ども理解を深め,教材解釈を深め,教師の自己理解を深めていけるようなカリキュラム・マネジ

メントの専門性を高め合おうとしていました。

社会参加とイマジネーション

拡張による学びと物語を紡ぐ学び

> **QUESTION**
> あなたは，このような学びのデザインとその授業のふりかえりの物語を読んで，どのようなことを感じましたか。

　実はこの学びのデザインには，それを支える理論と研究の背景がありました。
　1980年代以降，第1次人工知能（artificial intelligence：AI）研究の行き詰まりを克服する1つの方途として，人間に固有な認知の在り方が研究されはじめました。ヴィゴツキーの歴史的再評価（ルネッサンス）と並行して，文化人類学と認知心理学との接触領域から，「状況に埋め込まれた学習」（レイヴとウェンガー〔J. Lave & E. Wenger〕による），「導かれた参加の理論」（ロゴフ〔B. Rogoff〕による），「認知的徒弟制の理論」（コリンズ〔A. Collins〕による），「拡張による学習」（エンゲストローム〔Y. Engeström〕による）の理論になどに象徴されるように，時代を画する学習理論の研究が飛躍的に進みました。
　これまでも，デューイの共同体論や，ベイトソン（G. Bateson）に代表されるような生態学的な学習理論が，学習者と環境との相互作用に着目し，学びにおける対話と協働と探究の重要性を強調していました。そこにヴィゴツキーの「発達の最近接領域」（⇨第3章）の理論が，深く浸透していきました（Connery et al. 2010）。
　複数の実践共同体への参加とそこにおける学習者のアイデンティティ構築に関する研究や，学習の文化歴史的理論（cultural-historical theory）などは，人間の学習理論を，個体を機軸とした発想から，共同体（コミュニティ）を機軸とした発想へと大きく解き放ちました。その結果，学びは，その本性において協働的性格をもつという考え方が広がりました。
　さらに，この構想は，デューイやコルブの経験学習の展開系であるアクティ

ブ・ラーニング（主体的・対話的で深い学び），自己と環境とのレギュレーションの能力を開発する自己調整学習（self-regulated learning），人間に固有な学習動機を開発しながら自己の物語を紡ぎ合うナラティブ・ラーニング，まるで遊び合うような感覚で新たな意味を創造し合うプレイフル・ラーニング，リラックスしたオープンな環境での語り合いを重視するワールド・カフェ方式の学び合いなど，さまざまな学習論として展開しています。

〈アトリエ〉の創造的想像力

なかでも，ナラティブ・ラーニングは，子どもたち一人ひとりが，学習対象の文化価値にユニークな物語をもつことを大切にしています。多様性にひらかれた文化価値を探究するという演劇的舞台で，あの子の物語とこの子の物語を，聴き合い，語り合い，困り事（perezhivanie）も乗り越えて，新たな物語が生まれるように学びを構成します。

この構想を立ち上げた教育学者のハッカライネン（P. Hakkarainen）は，虚構の世界で遊び合うことが，これからの学習のプロトタイプ（原型）になる必要があるといいます。これからの時代，子どもたちに求められるのは，現実と虚構という2つの世界を豊かに行き来しながら創造的想像力（creative imagination）を発揮し合い，他者とともに新たな物語をつくっていく能力だというのです。

従来の知識伝達型の学びのデザインではなく，教師と子ども，子どもと子どもが，ともにある文化価値と出会い直し，その文化をともに新たな文化価値として創造し合っていく知識創造型の学びのデザインが求められています。それは，新進気鋭の作家としての子どもと，ベテランの作家としての教師とが，アトリエに集い，ともに文学作品を批評し合い，あらたな文学作品を創作し合う共同体としての物語共同体（⇨第4章）にたとえることができるかもしれません。

このような文学のアトリエとしての学び合いには，文化創造への参加，社会創造への参加，芸術創造への参加という3つの契機があります。ユネスコの「学習権宣言」(1985年) は，「学習権とは，読み，書く権利であり，質問し，分析する権利であり，想像し，創造する権利であり，自分自身の世界を読みと

り，歴史をつづる権利であり，教育の手だてを得る権利であり，個人および集団の力量を発達させる権利である」と謳いました。

　さまざまな困難に遭遇しても，生きるために必要な基礎的な学力（機能的リテラシー）と，生きることを広く深く吟味できる学力（批判的リテラシー）が必要です。そして，よりよく生きるために必要とされる新たな文化や社会を創造的に想像し，自分らしく実践することのできる学力（創造的リテラシー）が求められる時代を迎えているのだと思います。

　2020年に，新しい「学習指導要領」が全面実施され，全国の小学校でプログラミング教育が必修化されました。2019年に，文部科学省は，すでにGIGAスクール（Global and Innovation Gateway for All：すべての児童・生徒のために世界につながる革新的な扉を）という構想を打ち出していました。それを実現するために必要な学習環境の整備（「一人一台の端末」）も遂行され，多様なICT（情報通信技術）を活用した教育が推進されました（⇨Column ⑰）。

　改訂された「学習指導要領」の前文には，これからの学校教育で育成をめざす子ども（児童生徒）の姿について，「一人一人の児童（生徒）が，自分のよさや可能性を認識するとともに，あらゆる他者を価値のある存在として尊重し，多様な人々と協働しながらさまざまな社会的変化を乗り越え，豊かな人生を切り拓き，持続可能な社会の創り手となることができるようにすることが求められる」と記されています。

　2021年に，中央教育審議会は，「『令和の日本型学校教育』の構築を目指して：すべての子供たちの可能性を引き出す，個別最適な学びと，協働的な学びの実現」という答申を出しました。そこでは，「多様な子供たちを誰一人取り残すことなく育成する『個別最適な学び』と，子供たちの多様な個性を最大限に生かす『協働的な学び』の一体的な充実が図られること」が求められています。存在（ビーイング）として多様な子どもの柔らかな心にふれる学び（「個別最適化された学び」）が，美しい交響曲のように響き合い，だれ一人取り残されることなく遂行される「協働的な学び」の探究が求められているのです。

Column ⑰　一人一台端末時代の ICT 教育

　文部科学省が進める GIGA スクール構想で調達が推奨されている ICT 端末とは，一台一台は安くて壊れても替えが効き，重要な演算処理はインターネット回線の接続先で済ませる仕様のものです。これは ICT 端末の話であって人間の話ではありません。言われたとおりに働く取り替えのきく労働者を会社に満たすことや標準化された教育方法にしばられて授業をする教師を学校に満たすことのために，一人一台端末時代の ICT 教育があるわけではありません。

　メディア論の泰斗マーシャル・マクルーハンは，「メディアとは身体の拡張である」といいました。一人一台の ICT 端末は，子どもたちの身体感覚を拡張させて，見るもの聞くもの触れるものの世界を増大させて身近なものにしました。動画を早回しで見ることによって時間を短縮することすら実現させました。マクルーハンは「メディアこそがメッセージである」ともいいました。メディアが時間や空間を縮約して効率的になる時代には，効率的に学ぶことができる学習環境という恩恵だけではなくて，効率的に学ばなければならないという社会からのメッセージを子どもたちは受け取っています。効率的に学ぶことになじまない子どもの探索的な試行錯誤や，学習の「個別最適化」の議論に乗ることを躊躇う教師に対して，教室のメディア環境の変化はどう立ち現れているでしょうか。豊かな文学体験のためにわざわざ知覚を難渋にさせる「異化」の表現を追究した大江健三郎の思想ともつないで考えてみてください。

　一人一台端末時代の到来によって，どのような学習形態を選ぶか，だれと一緒に学ぶかという教室の風景にも変化が生じています。一人一台端末は，ともすれば個室のように心地よい居場所にもなります。だからこそ，自分の世界の外部とはつながりにくいのです。端末のモニターのなかでは世界各地の仲間とつながりながら，教室の班やグループのなかではあえてモニターで壁をつくって孤立することを選ぶ子どももいます。そこでは，学級で教えるということの意義が別のことばで語り直されなければなりません。一人で学ぶということとみんなで学び合うということを再び統一することはできるでしょうか。

　ところで，AI（人工知能）が人間の仕事を奪うという話題をしばしば耳にします。その際には，AI に対して人間がどのような点で優れているかという力説が伴うことも多いようです。しかし，教育学が問うべきは，人間の優位さを AI と競うことではありません。たとえすべての点で AI に負けたとしても，それでも残る弱き人間の尊厳とは何かをこそ問いたいものです。

【宮原順寛】

SUMMARY

　子どもは，学校の授業をとおして，知識や技能だけを学んでいるのではありません。日常の授業で，子どもは自分のものの見方，考え方，感じ方にふれながら，自分の生き方をも学び直しているのです。それが，陶冶（学力形成）と訓育（人格形成）の統一という原則でした。

　授業という日常のなかで，子どもは，その意味が深められていく対象世界と出会い直しながら，それを共有してくれる他者と出会い直し，新たな自分自身とも出会い直していきます。それは，子どもたちのかけがえのない人生の軌跡（カリキュラム）が豊かになることを意味します。

　新しい学習指導要領と GIGA スクール構想のもとで展開される「個別最適な学び」と「協働的な学び」の実現が，どのような授業としてデザインされるのか，という問いについて，あなたの創造的想像力を発揮して探究してみてください。

さらに学びたい人のために　　Bookguide

佐藤学『第四次産業革命と教育の未来——ポストコロナ時代のICT教育』岩波ブックレット，2021年

田中耕治・鶴田清司・橋本美保・藤村宣之『新しい時代の教育方法』改訂版，有斐閣アルマ，2019年

奈須正裕『個別最適な学びと協働的な学び』東洋館出版社，2021年

深澤広明・吉田成章編『学習集団づくりが育てる「学びに向かう力」——授業づくりと学級の一体的改革』溪水社，2020年

引用・参考文献　　Reference

Connery, M. C., John-Steiner, V. P. & Marjanovic-Shane, A（Eds.）(2010) *Vygotsky and creativity: A cultural-historical approach to play, meaning making, and the arts.* Peter Lang.

CHAPTER

第 **12** 章

学校を卒業したら学ばなくてもよいのか？

INTRODUCTION

　新聞や電車・バスの車内では，たくさんの趣味や教養，資格取得などのスクールや講座の広告がみられます。それらをみると，幅広い年齢層の人びとが学校を卒業してからもいろいろなことを学んでいることに気づかされます。なぜ，私たちの学びは，学校の勉強だけで終わらないのでしょうか。

　この章では，生涯学習ということばがもつ意味を考えることで，この問いについて考えることからはじめましょう。そうすることで，学ぶことの意味について，もう一歩踏み込んで理解することができるかもしれません。

KEYWORDS

フォーマル・エデュケーション　ノンフォーマル・エデュケーション　生涯学習　生涯学習振興法　ラングラン　フレイレ　イリイチ　知識基盤社会　リカレント教育　教育基本法　社会教育　公民館　コミュニティ施設　図書館　博物館　アンドラゴジー　ノールズ　反省的思考　コルブ　経験学習モデル

1 生涯学習ってなんだろう？

> **QUESTION**
> あなたは，「生涯学習」ということばを聞いたことがあるでしょうか。それは，どういう意味でしょうか。どのような背景で，いつ頃から使われるようになったことばでしょうか。

「一人前」になるための学習

　学校では目的をもって選択された知識や技術やルールが教えられています。しかし，意図的に教え，学ぶという行為が行われているのは正式の学校に限りません。たとえば，塾や英会話スクール，あるテーマや興味関心にもとづいて開催される講演会や学習会などがそうです。また，家庭でも学校に入学する前に文字や数字を教えることがあります。最近では，小さい頃から子どもに外国語を学ばせる家庭も増えているようです。

　このように意図的，目的的に行われる学習のうち，学校教育のようにより組織的，体系的に行われるものをフォーマル・エデュケーション（formal education）と呼び，塾や講演会などそれほど制度的，体系的ではないものをノンフォーマル・エデュケーション（non-formal education）と呼んで区別することがあります。

　歴史的にふりかえってみると，日本の村落共同体においては，「若者組」や「娘組」と呼ばれる集団で行動をともにすることで，生活に必要な知識や技術を習得していました。これは，村落共同体のなかで「一人前」となるための一種のノンフォーマル・エデュケーションといえるでしょう。現在では，かつての若者組や娘組の代わりに，人が子ども期，青年期を経て大人になっていくのを助けることがさらに意図的，目的的に行われるようになり，その場所が村落共同体のなかから学校へと移り変わっているのです。

「生涯学習」の登場

　現代において、私たちの主な生活と学びの場所は、乳幼児期には家庭、少年期と青年期には学校、大人になってからは職場と変化しています。さらに、幼児期における近所の遊び場からはじまり、生涯を通じて地域も生活の場であり、学びの場になっています。そう考えると、今日しばしば目にしたり、耳にする「生涯学習」ということばは、特に目新しいことをいっているのではないように思えます。

　しかし、日本でこのことばが使用され始めたのは 1980 年頃からです。それ以前、1970 年頃から徐々に家庭教育と学校教育と社会教育を有機的に結合した「生涯教育」の必要性が唱えられるようになってはいました。1990 年に生涯学習振興法（正式名称は「生涯学習の振興のための施策の推進体制等の整備に関する法律」）が成立すると、学習者の主体性や自主性を重視した考え方である「生涯学習」の推進に拍車がかかりました。

　この動向は当時の日本に限ったものではなく、1965 年にパリで開催されたユネスコの成人教育推進国際委員会においてラングラン（Paul Lengrand, 1910-2003 年）が「生涯教育」を提唱したことにはじまる国際的潮流に位置づくものでした。このように現代社会において生涯教育ないし生涯学習という理念があらためて提起されるようになったのには、どのような理由があったのでしょうか。

硬直化した学校教育への批判

　まず、近代社会の発展とともに公的な学校教育の仕組みが整えられてきたわけですが、それにはひとしく教育を受ける権利を保障する意義があった反面、学びが学校教育という制度のなかに閉じ込められ、硬直化する危険を伴うものでもありました。さらに、多くの子どもが通うようになった学校は、子どもたちの学びの場であるとともに、社会的威信の高い上級学校、あるいは収入の多い恵まれた職業への選別機関としての性格も強めるようになりました。

　その結果、学校での学びは、民衆教育、特に識字教育の発展に尽力したブラジルの教育思想家フレイレ（Paulo Freire, 1921-97 年）が「銀行型教育」と批判

> **Column ⓲　情報通信技術の発展と学びのネットワーク**
>
> 　情報通信技術（ICT）の発展は，イリイチが提唱したような学びのネットワークの実現を可能にしているように思えます。たとえば，インターネットを利用できる環境にあれば，だれもがどこからでも無料で講義を受講し，高度な知識を学ぶことができるムーク（MOOC：massive open online course）などのオンライン講義の運用がはじまっています。また，人権抑圧的な政治体制や富の不平等な分配に対する異議を唱える人びとが，協調的な行動をとるために，インターネットを通じて情報交換を行うことも，社会変革を意識した一種の学びのネットワークといえるかもしれません。

したように，子どもの自主性や主体性よりも知識の記憶量や正確さが重視されることになったのです。これに対して，学びがほんらいもっている自主性や主体性を回復しようというねらいから，生涯学習が提起されたといえます。物質的価値が何事にも優先される近代社会を強烈に批判した社会思想家**イリイチ**（Ivan Illich，1926-2002 年）が，『脱学校の社会』（*De-schooling Society*）において，学びがもつほんらいの楽しさ（コンビビアリティ；conviviality）を取り戻そうと，自主的で協働的な学びのネットワーク（learning web）を提唱したのも同様の趣旨でした。

社会の変化と「生きがい」

　生涯学習の必要性が提起され，広く受容されるようになった，もう1つの理由として，産業の高度化と社会の複雑化が進行したことで，知識や技能の有効期間が短くなったことがあげられます。**知識基盤社会**といわれる現代社会では，学校で学んだことだけに頼っていては，仕事をこなすことができなくなり，自己研鑽によってつねに知識や能力を更新していくことが求められています。そのため，学校をいったん卒業した後に再び学校に戻り，知識や技能を新たに習得したり，レベルアップをはかることも頻繁に行われています。これを**リカレント教育**と呼びます。

　ほかにも日本では，高齢者が学習をとおして「生きがい」をもって生活する

ことや，地域の歴史，文化，産業を学び，地域の発展や「まちづくり」に主体的に参加することが生涯学習の意義として奨励されてきました。身近な地域の環境問題やバリアフリー化などに取り組むNGOやNPOに参加して活動すること自体が学びの要素を含んでいる場合も少なくありません。

こうした生涯学習の広まりを反映して，2006年に改正された教育基本法の3条は，以下のように述べています。

> 「国民一人一人が，自己の人格を磨き，豊かな人生を送ることができるよう，その生涯にわたって，あらゆる機会に，あらゆる場所において学習することができ，その成果を適切に生かすことのできる社会の実現が図られなければならない。」

多様な生涯学習　本文にあるように，今日の生涯学習は，カルチャーセンターや通信講座を利用した趣味・教養の学習，資格取得目的の学習，まちづくりを意識した地域課題の学習など，さまざまな形で行われています。あなたがこれまでに経験してきた生涯学習をリストアップしてみましょう。

2 社会教育の歴史と課題

> **QUESTION**
> 日本では，1980年頃から生涯学習という理念が社会に浸透しはじめましたが，それ以前から行われていた社会教育の歴史があります。社会教育とは，どのようなものでしょうか。生涯学習社会といわれる現代では，もはや社会教育は不要なのでしょうか。

国民教化への反省

1947年に制定された旧教育基本法には，当然ながら「生涯学習」ということばはありませんでした。その代わり，家庭や職場で行われる教育など学校教育以外の教育を社会教育と総称していました。旧教育基本法2条は，1条に定める「真理と正義を愛し，個人の価値をたつとび，勤労と責任を重んじ，自主

的精神に充ちた心身ともに健康な国民の育成」という教育の目的は「あらゆる機会に，あらゆる場所において実現されなければならない」としていました。

　旧教育基本法において，1条に定める教育の目的を「あらゆる機会に，あらゆる場所において」実現することが強調されたことの背景には，戦前においては学校教育だけではなく，社会教育も国家権力による国民の教化手段として用いられたことに対する反省がありました。政府の政策目的に都合のよい価値観や考え方を宣伝，普及するために，しばしば青年団，婦人会，町内会などの自治的組織が利用されました。明治時代から「通俗教育」と呼ばれていたものが1920年頃，「社会教育」と呼ばれるようになりましたが，その内容は大教宣布運動，地方改良運動，教化総動員運動，国民精神総動員運動など，国策遂行のための国民の「思想善導」という性格が色濃いものでした。

自主的な学習・文化活動としての再出発

　このような戦前の社会教育に対する反省から，戦後，社会教育は人びとの自主的で協同的な学習活動，文化活動でなくてはならないとされたのです。それと同時に，国家の役割は環境整備に限定しようということになりました。社会教育の代表的施設である公民館は，住民どうし「顔の見える」組織である必要から，都道府県ではなく市町村（教育委員会）に設置義務が課されており，全国平均でみると，中学校通学区に相当する地理的範囲内に公民館がほぼ1館は設置されています。

　また，公民館に住民，利用者の代表から構成される公民館運営審議会が設けられています。これは人びとの学習の主体性を尊重する視点から，公民館運営に学習者の声を反映させる仕組みとして設置しなくてはならない機関とされたものです（現在は法律が改正され，任意設置となっています）。

　このように，公民館は住民の自主的な学習活動，文化活動を支援するユニークな機関として出発しましたが，その在り方が批判されたり，改革されたりすることもありました。たとえば，1986年に政治学者の松下圭一は『社会教育の終焉』を著し，住民が公民館主事などの行政職員によって「指導」されていることを批判しました。この批判は，住民の主体的な学習活動については，そもそも「教育」という権力性や一方向的な働きかけを含むことばを使うべきで

はないとの主張を含んでいました。

　近年も、「特定の限られた者だけが利用している」「広い年齢層に対して魅力的な運営や企画事業になっていない」「単なるスペース貸出になっている」など公民館に対する批判が聞かれます。このような指摘に対して、公民館をより地域づくりの視点を強調したコミュニティ施設へと転換したり（あわせて所管を教育委員会から首長部局に移すこともしばしば行われます）、さまざまな企画運営上の工夫を行っている市町村も少なくありません。その一方、厳しい地方財政事情の影響もあって、職員の削減や活動規模の縮小を余儀なくされたり、指定管理者制度を導入して、公民館運営をNPOや企業に委託している市町村もあります。

社会教育の意義

　公民館以外にも、住民の自主的な学習活動、文化活動を支援する社会教育施設として、図書館や博物館が重要です。それぞれ司書、学芸員が置かれ、専門的な立場から年齢を越えた広範な人びとの学習を支援しています。近年、OECDの実施しているPISAの結果、好成績をあげて世界中から注目を集めたフィンランドでは、地域の身近な場所に図書館があり、子どもから大人まで幅広い年齢層に利用されています。そこでの幼い頃からの読書習慣と学力の関係から、地域や学校の図書館の役割があらためて注目されるようになっています。

　ただし、図書館や博物館も国や地方自治体が設置するもの以外に私立の機関があります。近年はインターネットの発展により、さまざまな代替的な学習機会が増えています。そうしたなかで、生涯学習ということばと比べて、社会教育には何となく古臭いとか、堅苦しいというイメージがつきまとうようになっているかもしれません。

　それでは、社会教育はもうその役割を終えたと考えてよいのでしょうか。たしかに今日では公民館、図書館、博物館以外にも、生涯を通じて学習する機会はたくさんあります。しかし、その機会には地域ごとに格差があるかもしれません。さらに民間企業が提供している学習機会のなかには決して少額ではない対価を払わなければならないものもあり、だれもが気軽に利用できるとは限りません。社会教育法3条にあるように、「すべての国民が」生涯にわたって学

べるようにするためには，国や地方自治体がしっかり環境整備の役割を担い続けることも必要でしょう。

　生涯学習社会といわれる現代だからこそ，社会教育はもう必要ないと簡単に切り捨てるのではなく，歴史と現状をふまえて，その意味をあらためて考えてみることが求められているのではないでしょうか。

WORK⑲

社会教育はほんとうに要らない？　　自主的・主体的な学習を国や地方自治体が「支援」することなどはできないのであり，結局は「統制」にならざるをえないのでしょうか。また，ほんとうに自主的な学習に対する専門的な見地からの支援は必要ないのでしょうか。もし，そのような学習支援が必要であるとすれば，その役割はだれがどのように担うのがよいのでしょうか。これらの問いについて，あなたはどう思いますか。できれば，他の人と話し合ってみましょう。

 学びの再考

QUESTION
　この章でこれまで学んできたように，私たちの学習は学校を卒業したら終わりではありません。学びは生涯続きます。でも，学び方も，ずっと変わらず同じなのでしょうか。

成人の学習

　人間はどう学習しているのか，何をどう教えるのがよいかに関する体系的知識や科学を一般にペダゴジー（pedagogy）といいますが，特に大人の学習に関する科学をアンドラゴジー（andragogy）と呼ぶことがあります。この区別の前提には，成人の学習は子どもの学習とは異なっているという考え方があります。

　大人，成人という意味の adult と pedagogy の合成語であるアンドラゴジーということばを広めたのは，アメリカの成人教育研究者ノールズ（Malcolm Knowles, 1913-97 年）です。ノールズは，人間のライフサイクルに即して学習の特徴に応じた支援がなされる必要があるとして，アンドラゴジーを「さまざまな状況のさまざまな学習者に向けて検証されるべき，学習者に関する仮説の

体系」として提唱しました。ノールズによれば，大人の学習の特徴をふまえたアンドラゴジーとは，次のようなものです。

　第1に，大人の学習は自己決定性の増大に配慮しなければならないということです。具体的には，学習の計画，実行，評価における主導権を教師や支援者ではなく，学習者自身がもたなくてはなりません。

　第2に，成長・発達の過程で重ねてきた経験を学習の資源として使用すべきであるということです。さらに，経験は当人だけでなく，ともに学ぶ仲間にも共有されることで学習を広げ深める共通の資源になります。

　第3に，大人は生活や仕事に直接かかわるテーマにもっとも関心を抱き，学びが充実するということです。このことから，第1，第2の点とも関連しますが，先に学習内容ありきではなく，自分たちにとってもっとも意味のある内容を学習できるようにする必要があります。

経験学習の理論

　ノールズは，学習の本質を経験に求めたアメリカの哲学者・教育学者デューイ（⇒第7章）からの影響を強く受けています。私たちは誕生からつねに学び続けているということは，遊びや生活などの経験のなかに学習があることを意味しています。ただし，学習における経験の役割を重視する理論は，ただ経験しさえすれば学習になると単純に考えるのではありません。

　デューイやノールズは，経験を重視して，すでに確立されている知識を頭のなかに移転することが学習であるという考え方を批判します。そして，新たな発見の驚きやうまく事が運ばないときのフラストレーションを契機にして，経験を反省的思考★（reflective thinking）の対象とすることで構成されるものが知識であると考えます。

---

note

★　広い意味でとらえるならば，反省的思考とは，経験について分析を行い判断する過程を意味します。何かが思いどおりに進まなかったり，おぼろげながら疑問を抱いたとき，自分ではわかっているつもりになっていたこと（知識）について，その根拠とともに，さらに，その知識から導きだされる帰結も含めて，慎重に検討を加えることだといってもよいでしょう。デューイは想像，信念，意識の流れ，そして反省という4つの思考の類型を示し，そのうちの反省がもっともよく学習へと導くとしています。自分がいま何を知っているか，何を知る必要があるか，そして，その両者の間にあるギャップをどう埋めるかを評価する反省的思考によって，自覚的に学びを深めることができるということです。

1970年頃から，このような経験を重視する学習理論にもとづいて，会社や組織における成人学習が提唱されるようになっています。たとえば，企業における人材開発の理論・技術として経験学習モデルを提唱しているアメリカの教育理論家コルブ（David Kolb, 1939年-）によれば，学習とは「経験の変容を通じて知識が創造される過程」です。

　コルブによれば，知識は経験を把握することと変容することの組み合わせから生まれます。経験の把握とは，具体的経験と抽象的概念化の間を往還することであり，経験の変容とは，反省的観察と行動的実験の間を往還することです。いずれもこのような往還を経ることで，経験，概念，観察，実験的行為がより高次の質をもつものになっていくと考えられています。具体的には，①具体的経験が観察と反省の基礎を提供し，②反省が抽象的概念へと同化・蒸留され，③抽象的概念から新しい行動に対する示唆がもたらされ，そして④実際に行動に移された結果から新しい経験が生み出されるという4段階から構成される学習サイクルがコルブの提唱する経験学習モデルです。このモデルにもとづいて，人材育成に力を入れる会社や組織は豊富な経験や観察・反省への動機づけ，そのための機会を提供することが求められるのです。

ペダゴジーのとらえ直し

　学習における経験の役割を重視する理論は，デューイ以降現在に至るまで，興味・関心を重視する教育理論や生活教育論として，子ども期，少年期の教育に受け継がれてきてはいます。しかし，必ずしも主流派の教育論であったとはいえません。そうしたなか，近年における大人の学習に関する理論や実践の発展から影響を受けて，子どもの学習においても経験が果たす役割や主体性の意義があらためて見直されるようにもなっています。

　たとえば，子どもが学習の過程で作成した具体的な作品等を「ポートフォリオ」に蓄積して，学習に対する自己評価を促すとともに，学習における自己主導性を高める近年の取り組みなどは，その一例でしょう。また，教科の枠を越えた「総合的な学習の時間」で行われていることも，経験を重視した学習であるといえるかもしれません。もちろん，ただ経験を重視するだけでは学習にはならないことが経験学習理論では強調されていることを忘れてはなりません

(⇨第 11 章)。

WORK⑳

理想の学習とは？　生涯学習の理念や，ノールズのアンドラゴジー論やコルブの経験学習論を参考にすると，これからの学びはどのようにあるべきでしょうか。家庭，学校，社会という場の違いや学習者の年齢段階にあまりとらわれず，理想の学びというものを考え，話し合ってみましょう。

SUMMARY

　この章では，生涯学習の必要性が提起されるようになってきた背景について，主に硬直した学校教育への批判と知識基盤社会という観点から考察しました。戦後の社会教育が追求してきた自主的・自律的な学習・文化活動という理念は，生涯学習によって受け継がれている部分もあります。

　生涯学習という理念は，生涯にわたる学習の継続という時間的広がりの意味だけに限られるものではありません。現代の社会ではもっとも大きな位置を占めている学校教育を相対化するとともに，私たちが絶えず行っている学習という行為について深く考え，より意味のあるものにしていく視点を提供してくれるのが生涯学習という理念であり，考え方であることが重要です。

さらに学びたい人のために　　　　　　　　　　　　　　　Bookguide

佐藤一子『現代社会教育学――生涯学習社会への道程』東洋館出版社，2006年

フレイレ，P.／小沢有作・楠原彰・柿沼秀雄・伊藤周訳『被抑圧者の教育学』亜紀書房，1979年

ノールズ，M.／堀薫夫・三輪建二監訳『成人教育の現代的実践――ペダゴジーからアンドラゴジーへ』鳳書房，2002年

大串隆吉・田所祐史『日本社会教育史』有信堂高文社，2021年

CHAPTER

第 **13** 章

教育と学校の未来はどうなるの？

1 希望はほんとうにないのでしょうか？
▶教育や学校をどう変えていけばよいのか？

作家・村上龍氏の『希望の国のエクソダス』という小説があります。全国各地でいっせいに集団不登校を実行した約50万人の中学生がニュース映像配信会社ASUNAROの設立を皮切りにネットビジネスやさまざまな事業を次々と成功させます。やがて，この元中学生たちが北海道に集団移住して，住宅と公園，スポーツ施設のほかにバイオ研究所，農場，牧場，技術訓練センターなどを擁し，地域通貨が流通する新しい町をつくるという内容です。「エクソダス」とは，旧約聖書で預言者モーセが民族的・宗教的迫害に苦しんでいたエジプトのユダヤ人を引き連れて実行した国外脱出を指すことばです。学校教育をみずから放棄した元中学生たちは，希望のない国＝日本からの脱出を果たしました。国会の予算委員会に参考人として招致されたASUNARO代表のポンちゃんは，世界中に向けてインターネットによる中継配信が行われるなか，静かに「この国には何でもある。ほんとうにいろいろなものがあります。だが，希望だけがない」と語りはじめました。

ポンちゃんには，大人たちがみな自信を喪失しているようにみえ，反省するばかりで何も行動できない存在のように映っていました。そして，これまでの社会の仕組みや生活の仕方がよいものだとはだれも信じていないにもかかわらず，それらに代わる新しい何かをだれ一人として示そうとはしない大人たちに対して失望を覚えていました。その感情は，もしかすると，道路や上下水道といった社会基盤が未整備で日常生活に必要なものも不足しがちな時代を，より豊かな国や生活を手に入れるという希望を頼りに努力してきた大人たちに対する羨望の裏返しであったのかもしれません。たしかにその大人たちのおかげで，日本は物質的・生活的には豊かな国になりました。しかしいまは自信を失い，何をめざして生きていくのかという指針を示すことができない大人たちが，それにもかかわらず子どもたちにはかつての自分たちと同じように学校に通い，同じように教育を受けるよう強いていることに反旗を翻したのです。

バブル経済崩壊後の1998年から2000年にかけて雑誌に連載された『希望の国のエクソダス』は，2001年から2007年にかけての出来事を描いた近未来小説です。当時の国内外の経済・政治情勢（「失われた10年」と呼ばれることがあります）によって生み出されていた時代の閉塞感を敏感に感じ取った中学生たちが，何もしない，できない大人とは違い，「希望だけしかなかった頃とほとんど変わらない教育」の拒否をはじめ，果敢に行動に訴えるというストーリーには，社会の変革という希望が若者に託されているように感じられます。細部においても，「まず君たちがどうして学校に行かなくなったかということについて，話してもらえますか？」との国会議員の質問に対して，「今，約80万人の中学生が不登校になっているわけです。それで，学校に行かなくなった理由ですが，約80万種類あるわけなんです。やってることは同じだけど，その理由はみんなそれぞれ違うんですね」（村上，2000，304頁）とポンちゃんが応じるところなど，リアルで共感できる箇所がいくつもあります。たしかに，統計上，不登校の理由をいくつかに分類することはできますが，詳細な背景や理由は実にさまざまでひとくくりにすることはできないでしょう。

　この小説の前半部で中学生たちは，学校を変えようと，いったんは不登校を中断して登校してきます。しかし，誠実に話し合いに応じようとしない大人たちの姿勢や物理的な力の行使による排除に直面して，中学生たちは学校に戻り，学校を変えることを放棄しました。ここで残念なのは，中学生たちが学校の何を変えたかったのかがよくわからないことです。小説の語り手であるジャーナリストの関口が学校を占拠しているポンちゃんたちに「それで，君たちのゴールはなんなの？　具体的にどういう学校を望んでいるのかな」（村上，2000，82頁）と聞いたときも，無線傍受をしていた生徒からの機動隊接近の報せによって，会話は中断されてしまいます。その後，関口はポンちゃんたちの「隠れ家」で，カリキュラムと教師と教科書を生徒が自由に選べるよう学校に認めさせたかったのだと聞かされます。たしかに，カリキュラムと教師と教科書の自由選択は，現在の学校に対する不満を反映した要求かもしれません。しかし，学校に対して望むことは，部活や校則に関することや施設や設備に関することなど，ほかにもあるでしょう。不登校の理由が一人ずつ違っているように，学校に対する不満や学校に望むことも，現実はもっと複雑なのではないだろうか，

ポンちゃんたちの要求は少し単純化されすぎているのではないか，と思えます。
　『希望の国のエクソダス』という小説では，学校教育を拒否した中学生の発言と行動に託す形で，日本社会の経済や政治の閉塞状況とその原因である大人たちに対する痛烈な批判というモチーフが展開されています。学校の抱える問題については，それ自体がストーリーの中心ではないため，何事につけ，生徒にわかるように説明する代わりに有無をいわさず服従を求める大人たちの権威主義や，個人の選択を認めない画一的な法制度（システム）に対する，やや一般的な批判にとどまっているのはやむをえないことでしょう。学校教育も，社会の一部分として根本的に同じ閉塞感に覆われているという前提があり，時代の雰囲気としては，学校教育の問題点がよく表されているといえます。しかし，このような権威主義をはびこらせる学校の文化や法制度（システム）を一挙に変えようとする方法には，問題もあります。まず，現実的に実現可能性が高いとはいえません。さらにそれだけでなく，一人ひとりの生徒が学校に望むことは明らかにより多様であるわけで，文化や制度の一律的で性急な改革によって新しい学校をつくりだしても，今度はまたそれになじめない生徒を大量に生み出す結果を招きかねないことも問題です。
　この小説に登場する中学生たちは，大人たちが誠実に話し合いに応じようとはせず，物理的な力で自分たちを排除しようとしたことに愛想を尽かし，学校を変えることを放棄します。小説としては，その後のストーリーの展開に醍醐味があるのですが，現実の世界では子どもと大人が学校と教育について意見を交換し合い，一緒に考え，よりよい学校と教育を自分たちでつくりあげていこうとするほうが，はるかに実現可能性が高いでしょう。ポンちゃんたち中学生は，少なくとも最初は学校を変えようと，不登校を中断して登校してきました。この箇所に「学校と教育の未来はどうなるのか」という，本書全体を通じて，みなさんと一緒に考えてきた問いに関する1つのメッセージを見出したいと思います。つまり，学校と教育の未来を心配したり，望むことがあるならば，できることから行動していこうということです。
　大人社会に対する批判をモチーフとする『希望の国のエクソダス』に出てくる学校関係者は，不誠実な大人として一律的に描かれています。しかし，これまでに教育の歴史を紐解き，思想や実践を学んできたみなさんは，すべての大

人がそうではないということを知っていることでしょう。子どもの権利と教育の公共性を擁護しようと，ときには支配的慣習・文化や制度に真っ向から挑みながら，新たな教育の理想が掲げられ，教育方法や学校運営の試行錯誤が行われてきました。本書第7章では，「子どものための学校」を実現しようとする大人たちの足跡を進歩主義教育や児童中心主義の系譜として描くとともに，現在，公教育の内外で行われている「子どもとともにつくる学校」を紹介しました。学校と教育を変えることを簡単に諦めてしまわなくてもよいのです。

　小説の著書がポンちゃんに語らせた「希望だけがない，という国で，希望だけしかなかった頃とほとんど変わらない教育を受けているという事実」ということばには肯ける部分もありますが，全面的には受け入れられません。実際，ポンちゃんたちは最初に学校を変えようとし，次に新しい社会をつくろうとしました。もしほんとうに希望がないのならば，この主体性はどこから生まれてくるのでしょうか。教育はつねにその時代の政治・経済的要求への対応が求められ，その内容と形式を変化させてきました。「子どものための学校」に向けた努力が行われてきましたが，まだ根本的な変化を生み出しているとはいえないかもしれません。しかし，だからといってエクソダス（国外脱出）を選ぶのではなく，大人が子どもとともに学校を変えていこうとすることに希望を託したいと思うのです。

　その場合，慣習・文化や制度を一律に改革すればよいという考え方には，すでに述べたような問題点があることを忘れてはなりません。教師やカリキュラムや教科書を自由に選べるようにすることにも意義はありますが，子ども一人ひとりで違う学校に対する要望自体が選択という行為の背景に隠されてしまい，表明される機会が失われる可能性があります。それは，すべての子どもにとっての学校を一律に「子どものための学校」に近づけようと努力することは少し違う気がします。学校と教育に具体的にどんなことを望むかが多様であるならば，制度を改革して一挙に大きな変化をもたらす方法だけでなく，学級や学校など小さな単位で一人ひとりの要望＝声を丁寧に聴き取り，多様な要望をすり合わせていく方法を大切にする必要があります。

　現代社会において私たちは一人残らず学校や教育を経験していますが，その経験の具体的内容はそれぞれ異なり，したがって，受けとめ方や要望も多様で

す。その学校と教育に対する多様な要望を交流し合う具体的な場として、たとえば、第7章でごく簡単に紹介した三者協議会のような機会があります。そこでは学校という共通の対象が多様に経験され、認識されていることを知る経験と、どんな意見であっても耳を傾けてもらえるという経験をとおして、自分らしさを損なわずにさまざまな観点から物事をみることができるようになります。しかし、考えてみると、三者協議会のように学校をよりよくしていくことを直接意識した話し合いの機会にとどまらず、授業をはじめ、学校での経験はすべてそのような人間的成長の場であるべきものです。自分らしさのすべてを保ったまま他者とともにあることを学び、ともに何かをすることを学ぶことは、民主主義の基礎です。このように考えると、教育とは、人間の固有性（尊厳）と多様性に対して開かれた連帯と共同の基礎を日々生み出し、更新し続けることが期待されている、それ自体1つの希望にほかならないといえるでしょう。

未来に向けた教育のデザイン
▶探索の旅路へ

　北欧のフィンランドは、OECDの生徒の学習到達度調査（PISA）の成績が相対的に高いことで、世界から注目されました。「公正と平等」を重視する教育政策、知識基盤社会に有用な教育方法（メソッド）の開発、質の高い教員養成・教師教育などにも多くの関心が寄せられました。

　たしかに、義務教育期間はもとより、高校、大学・大学院に至るまで無償で教育を受ける機会が、あらゆる人びとに保障されていることや、専門職としての自律性を保障された学びが、生涯にわたって多くの教師に用意されていることなどは、恵まれた環境だといえるでしょう。しかし、フィンランドの人びともまた、自国の教育に多くの危機や課題があると考えています。そのうえで、みずからが直面している問題に真摯に向き合い、教育の条理にかなった教育政策や教育環境を多面的に探究し、それを実現する努力を重ねているのです。

　ところで、フィンランドで暮らす人びとが、教育の原風景として大切にしている物語があります。それは、『七人兄弟』（アレクシイ・キビ原作；邦訳は、宮

脇，1967）という作品です。かなり長い物語ですので，ここでは，そのあらすじを紹介したいと思います。

　フィンランドの片田舎，トーコラ村のユコラ牧場に，男の子ばかりの7人兄弟が住んでいました。彼らの名前は，ユハニ，トーマス，アーボ，シメオニ，ティモ，ラウリ，ユーロといいました。この7人兄弟の父親は，末っ子のユーロが生まれて間もなく，クマ狩りに行ってけがをし，亡くなってしまいます。その後，やんちゃな7人兄弟は，お母さんと，目の不自由なおじさんと一緒に暮らしていました。
　あるとき，7人兄弟は，母と娘がふたりで暮らしている貧しい家から鶏の卵を盗み，森の奥に逃げて，その卵を食べてしまいました。それを知ったお母さんは，とても悲しみ，村の人びとに謝り，7人の兄弟たちを叱りました。そんなことがあってからも，やんちゃな7人兄弟は，毎日，野山を元気にかけまわっていました。
　ところが，ある日，お母さんが病気で亡くなってしまいます。その後，一緒に暮らしていたおじさんまでもが，この世を去ってしまいます。7人の兄弟は，残された広い農場（ユコラ牧場）で，どうにか生きていかなければならなくなりました。
　その頃，この村の教会に，新しい牧師さんがやってきました。牧師さんは，この村に文字が読めない人がいなくなることを願っていました。そして，親を亡くしたこの7人兄弟にも，教会へ文字を習いにくるように言いつけました。7人の兄弟たちは教会に文字を習いに行きますが，牧師先生の厳しい指導が嫌になり，ある日，丘を越え，林をぬけ，野原をかけて，ソンニマキの山まで逃げてしまいます。
　その後，7人兄弟は，ぎりぎりの状況のなかで，生きるための知恵を絞り合いながら，さまざまな冒険をします。火事で，自分たちの大切な風呂場や小屋が二度も燃えてしまったり，オオカミの群れと戦ったり，大熊と戦ったり，大牛たちに襲われたり，数々の災いを〈被る〉体験を繰り返します。
　ある日，2日と2晩，大牛たちに取り囲まれ窮地に追い込まれた7人兄弟は，その大牛たちを殺して，ようやく命拾いをしました。ところが，その大牛たちは，こともあろうに，同じ村のよその牧場で飼われていた牛だったのです。大変なことをしてしまった，と悔やんだ兄弟たちは，死んでしまった牛の弁償をしようと相談しました。そして，森の木を切って売り，それで足りない分は，

伐採後の大地を耕して畑にし，その収穫物で少しずつお金を返すことにしました。
　森を拓き，よい農園にしようと，7人兄弟は，懸命に働きました。働き続けているうちに，彼らは文字も覚えたくなりました。そこで7人兄弟は，教会の牧師先生に謝りに行き，もう一度文字を教えてほしいと頼みました。すると牧師先生は，「おう，みんなそんな気持ちになってくれたか。なんで教えないなどということがあるものかね。いつでもそろってきておくれ」と，彼らを喜んで迎えてくれました。
　それから，村人たちも，7人兄弟をしだいにほめるようになりました。よその人に貸していたユコラ農場も，兄弟たちのもとに返されました。7人の兄弟たちは，「さあ，みんなでユコラ農場を村一番のりっぱな農場にしよう」と喜び合いました。
　7人兄弟がユコラ農場に戻ってきた日の夜，お祝いの宴会が開かれました。招かれたのは，牧師先生，牧場の主人，近くの村人，それから，昔，この兄弟がいたずらで卵を盗んでしまった家の娘と母親でした。「おめでとう」「おめでとう」と声が響きました。みんなで歌い，みんなで踊り，宴会は夜がふけても終わりませんでした。夜空に浮かんだ月が，じっとみんなを見守っていました。

　この物語では，親や養育者を亡くしたやんちゃな7人兄弟が，数々のいたずらや冒険を繰り返しながら育ちます。ときにつらい「失敗」を経験し，そのたびに，それを7人の兄弟たちが，聴き合い，語り合い，その意味を深く胸に刻みながら生きようとします。そのなかで，7人兄弟は，ほんきで働こうと決意し，ほんとうに学びたいと願うようになります。この兄弟たちが経験したような一連のプロセスをとおして育まれた学習動機こそが，人間らしい学び（学習活動）を促進するという「教育の物語」を，フィンランドで暮らす多くの人びとが共有しています。
　また，本書の第3章でみてきたように，人間は，太古の昔から，数々の喪失を伴う経験をし，それを他者と分かち合って生きてきました。このお話に登場する7人兄弟も，父親や，母親や，おじさんという，もっとも身近でもっとも重要な他者が，突然，事故や病気で亡くなってしまいます。それは，7人兄弟にとって，深い喪失体験だったに違いありません。そうした兄弟たちが，ひやひやしながらケアしてくれる村人や，やれやれと困りながらも（象徴的な意味

で）文字を教えようとしてくれる牧師さんや，遠いところでそっと寄り添ってくれるお月さまにまで見守られながら育っていきます。

　この物語に登場する7人兄弟は，大きな何ものか（共存的他者のようなイメージ）に，絶えず見守られながら，子どもらしく冒険し，やんちゃをし，ときに失敗し，他者の痛みを感受し，その意味を考え合いながら，懸命に生きようとします。教育者の象徴である牧師さんは，困難のなかで自分たちの生き方を問い直し，ほんとうに学びたいと願って帰ってきたこの7人兄弟を心から喜んで迎え入れているのです。

　7人兄弟たちが，やんちゃと逸脱，失敗と喪失，連帯と協働という経験を経て，ほんきで働き，ほんきで学ぶようになる姿に，フィンランドの人びとは，人間の育ちとその援助（教育）の原風景を感じ続けているのではないでしょうか。そして，この原風景を子どもと共有しながら，実は，大人自身も，子どもとともにいまを生きる意味を問い直し，子どもたちに託すべき未来を探索しているのではないでしょうか。

　一方，このお話のなかで，7人兄弟は，さまざまな場面で，昔話や伝説の語り（ナラティブ）を聴きながら，語り合っています。7人兄弟が生まれ育った農場を立ち去るとき，森の奥の新天地をめざして旅立つとき，ざわめく風に眠れない夜，森に住む謎のおじいさんが訪ねてきたときなど，人生の大切な節目に，兄弟たちは，互いに物語を語り合い，聴き合い，祈る想いで希望を紡ぎ合っています。

　この作品のなかに，お話を聴き合いながら語り合う場面は，9つもありました。7人兄弟が出会ったテンデルマッチおじいさんの冒険話は，穏やかな時間のなかで語られていますが，その他の物語は，7人兄弟が，困ったときや，不安でたまらないときに語られています。この作品のなかでは，7人兄弟の3番めの子であるアーボが，物語の主な語り手でした。アーボのお話し語り（ストーリーテリング）を聴いて，7人兄弟は，その物語について感じたことや思ったことを，自分のことばでゆっくりと語り合い，互いにしみじみと聴き合うのです。

　フィンランドでは，キャンドルグラスのロウソクが，就寝前の読み語りと，語り合いのひとときを包み込みます。小さなロウソクの灯りのもとで，身近な

大人から語られる物語。それに聴き入りながらみずからの人生の物語を紡いでいく子ども。そこから生まれる穏やかな語り合い。この独特な時間と空間のなかに，私たちの教育の未来（よりよい教育の在り方）を照らし出す大切な風景が埋め込まれているのではないでしょうか。

　いま，複雑な社会状況のなかで，さまざまな苦しみを背負いながら生きている人びとがたくさんいます。そのなかで，自分の生き方を問い，未来への導きの糸をじっくりと探る子どもや若者たちの新たな人生もはじまっています。その一人ひとりのかけがえのない「いのち」の営みを徹底して尊重しながら，そのささやきにも似た小さな声を聴きとって，教育の在り方そのものを深く問い直すことが求められています。

　子どもや若者のかけがえのない「いのち」（尊厳ある生命の営み）そのものに，根源的な敬意をもって寄り添い，共存できる他者として伴走していくことが，私たちの教育に求められているのではないでしょうか。かけがえのない子どもや若者の人生の管理者（コントローラー）ではなく，伴走者（パートナー）として，いかに生き，いかに学ぶか，ということが厳しく問われているのではないでしょうか。

　本書が，未来に向けた教育の歩みを，あなたらしくデザインする探索の旅路の第一歩になることを願っています。

引用・参考文献　　　　　　　　　　　　　　　　　　　　　Reference ●

村上龍（2000）『希望の国のエクソダス』文藝春秋
アレクシイ・キビ／宮脇紀雄（文）（1967）「七人兄弟」山室静編／川端康成監修『少年少女世界の名作文学 39』小学館

事項索引

● アルファベット

AD/HD（注意欠如・多動症）　68, 69, 143
ASD（自閉スペクトラム症）　143
GIGA スクール　114, 167, 168
GRIT（やり抜く力）　42
ICT（情報通信技術）　87, 114, 167, 168, 173
IEA（国際教育到達度評価学会）　113
LGBT　72
MOOC（ムーク）　173
NCLB 法（一人の子も取り残さない法）　22
PDCA サイクル　88
PISA（国際学習到達度調査）　21, 113
SLD（限局性学習症）　68, 69, 143
TALIS（国際教員指導環境調査）　87
TIMSS（数学・理科教育動向調査）　113

● あ 行

愛国心　120
愛着（アタッチメント）　140
アヴェロンの野生児　8
アカウンタビリティ　22, 88
アクティブ・ラーニング　114, 165
アトリエ　166
アメリカ教育使節団　63, 127
安心感　141
アンドラゴジー　177
生きる力　21, 113
育児（子育て）　9
池袋児童の村小学校　100
いじめ　108, 121, 143, 144, 148
いじめ防止対策推進法　108, 121, 143, 144
一人前　34, 171
1 種免許状　128

一斉教授　53
『一般教育学』　52
イニシエーション（通過儀礼）　12
いのちのケアと育み　6
居場所　104, 148
居間の教育　31
『意味の復権』　37
インクルーシブ（包摂的）教育　68
インクルーシブな共生社会　144
インクルーシブな授業（全員参加の授業）　158, 163
『隠者の夕暮』　36
インドクトリネーション　→教化
インフォーマル・エデュケーション　101
ウェルビーイング　11, 42
英語教育　→外国語（活動）
『エミール』　9, 33, 35, 54, 62
援助要請（ヘルプ・メッセージ）　140
エンパワーメント　141
大津市中学生いじめ自殺事件　82, 108
教え込み　53
オープン・スクール　101
オープン・プラン（スペース）　102

● か 行

外国語（活動）　113, 114
改正教育令　127
ガイダンス理論　146
概念的理解　23
開放制の免許制度　128
カウンセリング・マインド　149
格差　23, 25
「学事奨励ニ関スル被仰出書」　19
学　習
　——意欲　155
　——環境　160
　——準備性（レディネス）　157

191

――内容　114
　　　――に対する自己評価　179
　　　――の個別化　102
　　拡張による――　165
　　課題解決――　114
　　協調――　23
　　協同――　23, 159
　　経験――　160, 179
　　自己調整――　166
　　状況に埋め込まれた――　165
　　成人の――　177
　　発見――　160
　　プログラム――　102
　　問題解決――　160
学習権　63, 166
学習権宣言　166
学習指導要領　80, 82, 83, 111, 167
学習者と環境との相互作用　165
学習集団づくり　159
学習障がい　68
学習性無力感　141
学習費　78
学　制　127
『学問のすすめ』　19
学　力　21, 155
　　――格差　23, 25
　　新――観　20
　　確かな――　113
　　剥落する――　98
学　歴　25
　　――病　98
『学歴社会――新しい文明病』　98
学問の自由（アカデミック・フリーダム）
　　　132
可塑性　8
学級崩壊　149
学　校
　　――制度　60
　　――と保護者や地域との協働　90
　　子どものための――　99, 104, 185
　　私立――　77

学校運営会議　106
学校運営協議会　90, 107
学校関係者評価　70, 88
学校教育法　128
学校教育法施行規則　82
学校週5日制　113
学校体系
　　単線型――　75, 97
　　複線型――　75
『学校と社会』　55, 100
学校評議員　88
学校法人　77
家　庭　24, 64
家庭科　117
　　技術・――　118
カリキュラム　116, 156
　　――マネジメント　164
　　教科中心――　56, 156
　　経験中心――　56, 156
　　顕在的――　116
　　ストーリー中心――　156
　　潜在的――（隠れた――, ヒドゥン・――）
　　　116, 154
関心・意欲・態度　20
管　理　53
キー・コンピテンシー　21
擬似的応答　160
擬似的発問　160
機能的リテラシー　167
『希望の国エクソダス』　182
義務教育　60, 64, 97, 104
キャリア教育　115, 151
ギャングエイジ　35
給付型奨学金　67, 70
給特法　87
教　育　5
　　――的価値　14
　　――的思慮深さ　4
　　――的タクト　45
　　――の機会均等　22, 63, 65
　　――の再分岐説　18

――の社会的機能　17
――の無償（制）　25, 65-67, 70
――の目的　156
教育委員会　79
教育委員会法　79
教育化　18
教育改革　19
　戦後――　63, 79, 96
教育学　13
『教育学講義』　10
教育課程　82, 83, 111, 156
教育機会確保法　104
教育基本法　65, 174
　旧――　61, 67, 79, 174
教育行政　79
　――の一般行政からの独立　79
教育権の独立　80
教育公務員特例法　128
教育刷新委員会　64
教育職員免許法　128
教育職員養成審議会　128
教育長　79
　――の任命承認制　81
教育的タクト　45
教育内容　83, 156
　――の現代化　98
教育ニ関スル勅語（教育勅語）　60
『教育の人間学的考察』　13
教育万能論　50
教育費　63, 67, 70, 78, 98
教育方法　46, 49, 156
教育令　127
『教育論』　49
教育を受ける権利　61, 65, 75
教員（教師，教職員）　126
　――のキャリアステージ　130
　――のコンピテンシー　135
　――の自己評価　88
　――の資質能力　128
　――の長時間労働　87, 89
　――の同僚性　86

――のライフステージ　129
教員育成指標　131
教員の地位に関する勧告　132
教員免許更新制　130
教員養成　127, 130
　――の質保障　129
　――の修士レベル化　130
教化（インドクトリネーション）　5, 96
教科書　83
　――検定　84, 85
　国定――　84
強権主義　139
教授（行為）　10, 46, 53
　一斉――　53
　教育的――　53
　直観――　52
教職員　→教員
教職課程コアカリキュラム　131
教職実践演習　130
教職大学院　130
教職のストレス問題　132
共生社会　144
競争　21
教頭　86
教導　5
共同体（コミュニティ）　9, 38, 47, 72, 165
　――論　165
　実践――　47
　物語――　48, 166
協働的な学び　167, 173
共同保育　9
教養　50
キリスト教文化　32
銀行型教育　172
近代市民社会　53
勤労観　115
グローバル化　115
訓練　10, 53
ケア　6, 10, 14, 33, 141
経験　160, 178
経験学習モデル　179

事項索引　●　193

経験主義　122, 160
　　はいまわる——　161
芸術創造　166
系統主義　122, 159
研究的実践者（探求的実践者）　133, 136
公　共　114, 123
公教育（制度）　19, 63, 75
高校授業料（高等教育）無償化　66, 70
合自然の原則　54
校　長　86
高等教育の修学支援新制度　66
高度専門職業人　130
合文化の原則　52, 53
公民館　175
公民的資質　120, 122
校務分掌　86
公立の義務教育諸学校等の教育職員の給与等
　　に関する特別措置法（給特法）　87
国際学習到達度調査　→PISA
国際人権規約　66
国民国家　96
国民道徳　60, 80
国連・子どもの権利委員会　72
個性尊重の教育　20
5段階教授法　53
子ども　32
　　——からの教育　55
　　——と大人の境界　34
　　——の権利　69, 71
　　——の発見　62
こども家庭庁　72
こども基本法　72
子どもの権利条約（児童の権利に関する条
　　約）　68, 71
子どもの権利宣言　71
子どもの権利に関するジュネーブ宣言　71
『〈子供〉の誕生』　33
子供の貧困対策に関する大綱　66
子どもの貧困対策の推進に関する法律　25, 66
個別最適な学び　167

コミュニティ　→共同体
コミュニティ施設　176
コミュニティ・スクール　90
コンビビアリティ　173

● さ　行

差　別　64, 67, 68, 72, 77, 118
サマーヒル・スクール　105
サラマンカ宣言　68
参加（参入）　10, 42, 165
三者協議会　107, 186
ジェームズ・リポート　132
ジェンダー　117
シカゴ大学付属実験学校　99
識字教育　172
『思考と言語』　39
思考力，判断力，表現力　21, 87, 113, 114
自己決定　150
自己肯定感　148, 150, 155
自己実現　146
自己指導能力　150
自己省察　150
自己責任論　24
自主的・自治的活動　122
自然（本性）　35, 53, 62
自尊感情　158
自　治　121
　　——的活動　122
　　——的な関係性　147
　　協同——　101
『七人兄弟』　186
シティズンシップ教育　122
児童中心主義　100
『児童の世紀』　55
師範学校教則大綱　127
師範学校令　127
師範教育　127
市民教育　→シティズンシップ教育
社　会　10, 35
　　——創造　166

──の持続的発展　12
社会化　17, 101
社会教育　174
社会教育法　176
社会的規範　17, 119
社会的受難　148
シャーマニズム　47
就学援助　25, 66
修学支援制度　66
宗教教育　95, 96
修　身　120
集団づくり　147
授　業　157
　　──構想のカンファレンス（──の事前検討会）　158
　　──時数　105, 111
　　インクルーシブな──（全員参加の──）　158, 163
　　正答主義の──　154
主権者（教育）　57, 114, 142, 145, 147, 150
　　──に求められる力　123
主体的・対話的で深い学び　114, 166
小1プロブレム　41
生涯学習　172
生涯学習推進法　172
生涯教育　172
障がい児　67
障害者基本法　69
障害者の権利に関する条約　69
消極教育　54
情動体験　40
情報通信技術　→ICT
勝利至上主義　147
職業観　115
殖産興業・富国強兵　19
職場見学・職業体験　115
女性差別撤廃条約　118
初任者研修　128
人　格　12, 20, 37, 53, 145, 149
　　──の完成　61, 80, 96
進学率

高等学校──　97
大学──　65, 97
新教育運動　55
人材の社会的配分装置　97
新自由主義（ネオ・リベラリズム）　24
心的外傷　142
進歩主義（プログレッシビズム）　101
信頼（ラポール）　139, 146
進路指導　108, 147
スクールカウンセラー　88, 90
スクールソーシャルワーカー　88, 90
ステップ・バイ・ステップ　38
ストーリー　→ライフ・ストーリー
ストーリーテリング　48
スモールステップ　102, 159
生活（ライフ）　41, 56
　　──感情　146
　　──と教育の結合　56, 57
生活教育　57
生活指導　57, 146
生活者　146
生活綴方教育　57, 101, 149
政治リテラシー　123
聖　性　30
生存権　62
生態学的な学習理論　165
成　長　37
生徒指導　146
生徒指導提要　149
生理的早産説　7
『世界図絵』　51
接続期カリキュラム　41
セルフ・アイデンティティ　38
セルフ・コンパッション　42
ゼロ・トレランス方式　148
全国学力・学習状況調査（全国学力テスト）　21, 113
専　心　53
専門職性　131
総合技術教育　56, 57
総合的な学習の時間　57, 113

総合的な探究の時間　114
相互性　155
創造的想像力　166
創造的リテラシー　167
存在論　37, 41
　　──的な問い　11

● た　行

『大教授学』　51, 99
第三者評価　88
大正自由教育　100
タイダル・ウェーブ　39
対話（ダイアローグ）　49, 161
対話術　49
多職種協働　155
『脱学校の社会』　173
タブラ・ラーサ　50
魂の助産術　49
探　究　57, 114, 160, 165
男女共学　118
男性稼ぎ手モデル　118
地域運営学校（コミュニティ・スクール）
　　90
知　育　63
小さな大人　33
致　思　53
知識及び技能　114
知識基盤社会（ポスト産業主義社会）　20,
　　173
地方教育行政の組織及び運営に関する法律
　　80
地方分権（化）　79, 81
チーム（としての）学校　86, 130,
チーム・ティーチング　85
中央教育審議会（中教審）　20, 86, 113, 128,
　　133, 167
直観教授　52
詰め込み（教育）　103, 112
定型的問題解決　23
デイム・スクール　51

適　応　8, 18, 35
　　過剰──　148
東京シューレ　104
登校拒否　148
道徳（教育）　63, 82, 95, 120
　　──の教科化　121
道徳性　120
道徳的品性（人格）　53
陶　冶　10, 53, 56
同僚性　86
徳（アレテー）　49
特殊教育　67, 144
特別活動　121
特別支援教育　68, 143
特別な教育的ニーズ　67
特別の教科　82, 111, 121
特別免許状　128, 129
図書館　176
徒弟制　12
　　認知的──　165

● な　行

ナラティブ・ラーニング　166
日本教員組合啓明会　63
日本国憲法　60
人間化　102
人間としての自然　35, 56
『人間の教育』　54
人間の固有性（尊厳）と多様性　186
「認知的徒弟制の理論」　165
能力主義（メリトクラシー）　147
ノーマライゼーション理念　67
ノンフォーマル・エデュケーション　171

● は　行

はいまわる経験主義　161
博物館　176
働き方改革　88, 89, 133
発　達　37

発達援助　　6, 7, 13, 34
発達障がい　　68, 143
発達の最近接領域　　39, 165
発問（問いかけ）　　160
バーンアウト　　133
反省的思考　　178
パンソフィア（汎知学）　　51
汎知主義　　99
ピア・インタラクション（対等・平等な関
　　係）　　161
ピア・パートナー　　40
非行　　148
一人一台端末　　167, 168
一人の子も取り残さない法（NCLB法）
　　22
非認知能力　　42
批判的リテラシー　　167
ヒューメイン　　36
貧困　　65
　　相対的――率　　24
フォーマル・エデュケーション　　171
副校長　　86
不登校　　103, 105, 143, 148, 182
普遍的知識　　51
フリースクール　　103, 105, 143
フリースペース　　103
プログラミング教育　　114, 167
プログレッシズム　　→進歩主義
文化　　10, 35, 47
　　――創造　　166
　　――の創造的伝承　　12
文化価値　　166
　　――の体系　　156
　　教科内容の――　　159
文化歴史的理論　　165
ペタゴジー　　177
ペレジバーニエ　　166
放任主義　　139
暴力　　148
保健体育科　　118
保護者（親）の義務　　65

ポスト産業主義社会　　→知識基盤社会
ポートフォリオ　　179
保幼小接続　　41
ボランティア活動　　123

● ま　行

マイノリティ　　72
マインド・マップ　　3, 46, 126
マスタリー・ラーニング　　102
学び
　　――の軌跡　　156
　　――のネットワーク　　173
　　協働的――　　167, 173
　　個別最適な――　　167
　　知識創造型の――　　166
　　知識伝達型の――　　166
学び直し（リラーニング）　　4
学びに向かう力，人間性　　114
学びほぐし（アンラーニング）　　4
マルトリートメント　　141
導かれた参加の理論　　165
民主化　　79
ムーク　　→MOOC
無知　　51, 52
メディア　　168
『メノン』　　49
モントリオール・システム　　96
物語作者　　48
問題解決学習　　160
問題行動　　148
問答法　　49
文部省　　79

● や　行

野生　　30
やり抜く力　　→GRIT
ゆとり教育　　21, 113
　　脱――　　113
養護　　10

幼児教育無償化　66
予期不安　141
弱　さ　7, 8, 11, 29, 39

● ら　行

ライフ　→生活
ライフサイクル　177
ライフ・ストーリー　154
ラポール　139, 146
リカレント教育　173
立身出世　19

リテラシー　123, 167
リフレクション（ふりかえり）　164
リベラル・アーツ　50
臨床教育学　7
レギュレーション　166
レディネス　157
6・3・3・4制　77, 97

● わ　行

ワークライフバランス　119

人名索引

● あ 行

アリエス, P.　33
家永三郎　84
イーガン, K.　48
イリイチ, I.　173
ヴァール, F. B. M. de　36
ヴィゴツキー, L. S.　38, 39, 55, 165
ウェンガー, E.　165
エンゲストローム, Y.　165
及川平治　100

● か 行

カント, I.　10
クリック, B.　122
クルプスカヤ, N. K.　56, 57
ケイ, E. K. S.　14, 55
コメニウス, J. A.　51, 99
コリンズ, A.　165
コールバーグ, L.　120
コルブ, D.　160, 165, 179
コンドルセ　63

● さ 行

ジャクソン, P. W.　117
シュプランガー, E.　12
スキナー, B. F.　102
スピノザ　39
ソクラテス　49

● た 行

田中耕太郎　80
手塚岸衛　100
デューイ, J.　55, 99, 160, 165, 178

デュルケーム, É　12, 17
ドーア, R.　98

● な 行

ニール, A. S.　105
野村芳兵衛　101
ノールズ, M.　177, 178

● は 行

ハッカライネン, P.　166
パトナム, F. W.　139
福沢諭吉　19
プラトン　49
ブルーナー, J. S.　37, 160
ブルーム, B. S.　102
フレイレ, P.　172
フレーベル, W. A.　54-56
ベイトソン, G.　165
ペスタロッチ, J. H.　31, 36, 56, 99
ヘルバルト, J. F.　52, 56
ベンヤミン, W.　48
ポストマン, N.　34
ポルトマン, A.　7
本田和子　30

● ま 行

マクルーハン, M.　168
箕作麟祥　5
宮原誠一　18
森有礼　127

● や 行

八木重吉　29

● 199

● ら 行

ライン, W.　53
ラングラン, P.　172
ランゲフェルト, M. J.　13
リーバーマン, M.　132
ルソー, J.-J.　9, 33, 35, 53, 62, 69, 99
レイヴ, J.　165
レヴィナス, E.　146
ロゴフ, B.　165
ロック, J.　49

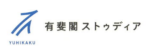

問いからはじめる教育学　改訂版
Education Beginning with Questions, 2nd ed.

2015 年 2 月 25 日　初　版第 1 刷発行
2022 年 12 月 20 日　改訂版第 1 刷発行
2024 年 11 月 30 日　改訂版第 4 刷発行

著　者	勝野　正章（かつの　まさあき） 庄井　良信（しょうい　よしのぶ）
発行者	江草　貞治
発行所	株式会社　有斐閣 郵便番号 101-0051 東京都千代田区神田神保町 2-17 https://www.yuhikaku.co.jp/

印刷・大日本法令印刷株式会社／製本・牧製本印刷株式会社
© 2022, Masaaki Katsuno, Yoshinobu Shoi. Printed in Japan
落丁・乱丁本はお取替えいたします。
★定価はカバーに表示してあります。
ISBN 978-4-641-15106-2

[JCOPY] 本書の無断複写（コピー）は、著作権法上での例外を除き、禁じられています。複写される場合は、そのつど事前に（一社）出版者著作権管理機構（電話03-5244-5088, FAX03-5244-5089, e-mail：info@jcopy.or.jp）の許諾を得てください。